Een lange winter

COLM TÓIBÍN

Een lange winter

Uit het Engels vertaald door
Anneke Bok en Rob van der Veer

DE GEUS

Deze uitgave is tot stand gekomen dankzij een bijdrage van Ireland
Literature Exchange (Translation Fund), Dublin, Ierland
www.irelandliterature.com
info@irelandliterature.com

De vertalers ontvingen voor deze vertaling een werkbeurs van
de Stichting Fonds voor de Letteren

Oorspronkelijke titel 'A Long Winter', verschenen in
Mothers and Sons bij Picador
Oorspronkelijke tekst © Colm Tóibín 2006
Nederlandse vertaling © Anneke Bok, Rob van der Veer en
De Geus BV, Breda 2007
Omslagontwerp Robert Nix
Omslagillustratie © Ilona Wellmann/Trevillion Images
Druk Koninklijke Wöhrmann BV, Zutphen
ISBN 978 90 445 1139 0
NUR 302

Voor
Michael Loughlin
en
Veronica Rapalino

I

OOK AL BEGONNEN de dagen donkerder te worden, de wind was zacht. Vanuit zijn slaapkamerraam zag Miquel zijn vader en Jordi op het weggetje lopen dat van de laaggelegen velden naar de schuur leidde. Ze waren allebei in hemdsmouwen alsof het een zomerdag was.

'We krijgen geen winter dit jaar', had zijn vader de vorige avond tijdens het eten gezegd. 'Volgens de priesters is dat onze beloning omdat we zo veel bidden en zo goed zijn voor onze naasten.'

Miquel had een lachje weten op te brengen om zijn vader een plezier te doen, een rol die Jordi gewoonlijk op zich nam. Maar Jordi en hun moeder waren stil gebleven. Jordi zei tegenwoordig weinig meer en reageerde zelfs nauwelijks met een gebaar wanneer iemand iets tegen hem zei. Zaterdag zou hij naar La Seu worden gebracht voor een speciale knipbeurt en dinsdag zou hij vertrekken om zijn militaire dienstplicht te vervullen. Hij zou twee jaar wegblijven.

Een week geleden, toen de definitieve oproep was gekomen, had Jordi Miquel gevraagd hoe het was om per vrachtwagen naar Lérida te reizen, een uniform uitgereikt te krijgen, de nacht als een gevangene in een kazerne door te brengen, soldatenkost te eten en per trein naar Saragossa, Madrid of Valladolid te reizen, of naar welke legerplaats dan ook.

'Precies zoals je het net beschreef', zei Miquel.

'Ja, maar hoe is het?' vroeg Jordi.

Miquel haalde zijn schouders op en bleef Jordi aankijken; er viel niets over te zeggen. Het was de moeite niet waard om eraan terug te denken of er zijn mening over te geven. Onwillekeurig had hij in gedachten stilgestaan bij bepaalde aspecten van de twee jaar dat hij zelf een uniform had gedragen, maar hij hield er meteen mee op toen hij zag dat Jordi angstig was geworden.

Jordi, die de laatste dagen dat hij thuis was vrijwel alleen maar met Clua, zijn hond, leek te knuffelen en te spelen, had sindsdien niet meer tegen Miquel gesproken, maar hij leek niet boos op hem te zijn of te mokken; hij leek juist te begrijpen dat ze maar beter helemaal niet konden praten, omdat praten over de beproeving die hem wachtte niet gemakkelijk was. Zelfs in hun gezamenlijke slaapkamer zeiden ze geen van beiden iets bij het uitkleden of vlak voordat ze het licht uitdeden. Miquel was zich er ten volle van bewust dat het andere eenpersoonsbed in het kleine kamertje binnenkort leeg zou blijven. Hij nam aan dat zijn moeder het bed zou afhalen en dat er tijdens zijn broers afwezigheid een kaal matras op zou blijven liggen.

Voor hem waren zijn dienstjaren eerder verbonden met dromen over thuis dan met angst, honger of voortdurende ontberingen. Toen hij in de beginmaanden onder de brandende zon bezig was met nutteloze exercitie-oefeningen, vroeg hij zich af waarom hij het leven met zijn familie in het dorp nooit als kostbaar en vergankelijk had gezien. Hij droomde over het koude ochtendgloren, wanneer hij werd wakker gemaakt door zijn vader en moest opstaan om in de jeep mee te rijden naar het hoogland waar de kudde schapen 's zomers werd geweid. Hij droomde over Jordi, die op zijn slaap gesteld was, en aarzelde of hij met hen mee zou gaan. Hij droomde over zijn eigen bed, de vertrouwde kamer, de geluiden van de nacht en de ochtend, de dwergooruil 's zomers vlak bij het raam, het kraken van de vloerplanken wanneer zijn moeder 's nachts rondliep, het overbrengen 's winters van de kudden naar de schuren, het smalle dorpsstraatje waarin hun geblaat weerklonk.

Elke dag had hij plannen gemaakt voor zijn terugkeer, er tot in de kleinste kleinigheid naar terugverlangd en in de vertrouwde toekomst geleefd, waar het geringste huiselijke geluid – het geluid van een startende jeep, een kettingzaag, het geweer van een jager of het blaffen van een hond – erop zou duiden dat hij was teruggekeerd, dat hij het had doorstaan. Hij had zich zijn thuiskomst in alle bevredigende gerieflijkheid en vrijheid zo uitvoerig voorgesteld dat hij er niet bij had stilgestaan hoe gauw Jordi aan de beurt zou zijn, hoe gauw zijn broer zich zou moeten onderwerpen aan de vernedering van de knipbeurt en het in de kou staan wachten op de vrachtwagen die hem naar Lérida zou brengen. Miquel wist hoe zwaar het zijn broer zou vallen, en het was alsof een kwetsbaarder en onschuldiger deel van hemzelf de knipbeurt zou ondergaan en een leeg bed zou achterlaten.

De afgelopen week had hun moeder rust noch duur gehad. In Miquels ogen was het soms net alsof ze iets zocht wanneer ze rondliep door de keuken, de lange eetkamer en de provisiekamer. De grote rusteloosheid die ze af en toe vertoonde was begonnen, wist hij, toen hij weer terug was uit het leger; het was hem kort na zijn thuiskomst opgevallen. Volgens hem was er van die onrust geen sprake geweest toen hij weg was, want Jordi had er niets over gezegd en leek nu te veel met andere dingen bezig om het op te merken.

Haar onvermogen om rust te vinden had iets grilligs, alsof het door het weer werd bepaald. In de afgelopen dagen, waarin Jordi zich voorbereidde op zijn vertrek, waren de schrikachtige, nerveuze bewegingen nog uitgesprokener geworden, deed ze Miquel denken aan een vreemd, hongerig dier dat bij hen inwoonde: ze was nauwelijks in staat om te koken of de tafel te dekken, nauwelijks in staat om haar kippen, konijnen en ganzen te voeren. Hij vroeg zich af waarom Jordi's vertrek haar zo aangreep; dit gedrag had ze niet vertoond in de tijd voordat hij wegging.

Nu echter, aan het gezamenlijke ontbijt voor de reis naar La Seu, zat ze stil aan tafel in haar nette kleren, gespannen en zwijgzaam, maar rustiger dan ze in weken was geweest.

Hij was zo van geluk vervuld geweest door zijn thuiskomst, peinsde hij, dat hij niet meer bedacht was geweest op deze rit, met Jordi naast zich op de achterbank van de jeep en zijn vader en moeder voorin, alsof ze Jordi wegbrachten om hem te verkopen en te laten slachten. Toen de jeep eenmaal onderweg was en door bekend terrein reed, waren er echter momenten dat hij zich wijs kon maken dat dit een gewoon bezoekje aan La Seu was op een marktdag, met manden vol eieren om te verkopen en een hele lijst met boodschappen, maar dan drong het dorre feit van Jordi's vertrek weer in zijn volle hevigheid tot hem door en kwam de oude angst terug.

Zijn vader zou met Jordi meegaan naar de kapperszaak, waarvan de eigenaar bekend stond om zijn ernst; hij heette een communist te zijn die na de oorlog jaren in de gevangenis had gezeten. Daarom kon je ervan verzekerd zijn dat hij geen grapjes of vrolijke, plagerige opmerkingen zou maken terwijl hij Jordi's haar knipte volgens de legervoorschriften. Hij zou op sombere toon blijven praten en Jordi's waardigheid zoveel mogelijk intact laten.

Die dag hadden ze geen eieren of kippen te verkopen, maar moesten levensmiddelen inslaan. Ze zouden zelfs groenten moeten kopen, omdat hun eigen moestuin de afgelopen weken nauwelijks iets had opgebracht. Miquel en zijn moeder, die ieder twee boodschappenmandjes bij zich hadden, gingen niet mee naar de kapper, maar spraken af dat ze Jordi en zijn vader over een uur weer zouden zien, ergens op de markt.

Zodra ze alleen met elkaar waren, werd zijn moeders tred lichter, ze leek bijna opgewekt toen ze de markt op liep. Op vriendelijke en vertrouwelijke toon groette ze een paar marktkooplieden en zei trots tegen een van hen dat ze vandaag niets te verkopen had, dat ze er alleen was om te kopen, en ze moest lachen toen de vrouw terugzei dat alle marktkooplieden rijk zouden worden als meer mensen dat deden.

Toen liep ze bij hem weg en zei dat hij op haar moest wachten, dat ze iets moest kopen. Het zou niet lang duren, zei ze. Haar vertrek was abrupt, alsof ze aanvoelde dat hij met haar in discussie zou gaan als ze ook maar een moment langer bleef. Hij zag haar met de boodschappenmandjes wegglippen tussen twee kramen.

Hij wou dat ze hem iets te doen gegeven had. Hij had gemakkelijk de olie kunnen gaan kopen of de gasfles kunnen bestellen, zodat die zou klaarstaan wanneer ze daar aan het eind van de dag langsreden. Hij keek naar de bloemenverkoopsters, twee tevreden ogende vrouwen, bij wie als enigen onder de marktlieden geen rij klanten stond om hun waren te kopen. Hij vroeg zich af wie er geld over zou hebben om bloemen te kopen.

Tijdens het wachten begon hij langzaam moe te worden en zich te vervelen. Hij nam aan dat zijn moeder naar de slager of de poelier was gegaan waar lange rijen konden staan, of misschien wel iets heel persoonlijks was gaan kopen bij de apotheek. Na een poosje liep hij, net als zijn moeder, tussen twee kramen door naar het rijtje winkels erachter, waar hij haar dacht te kunnen vinden en misschien ook wel gezelschap kon houden bij het wachten. Als hij zag dat ze bij de apotheek was, zou hij buiten blijven staan. Hij vond het een fijn idee om naast haar te staan in een rij mensen en de tassen voor haar te dragen. Haar manier van omgaan met mensen – vreemden of winkeliers – had een soort innemendheid waartoe mensen zich aangetrokken voelden, en ze maakte dat hij het prettig vond bij haar te zijn op de momenten dat ze naar iemand glimlachte of een terloopse opmerking maakte; hij kreeg er bijna een trots gevoel van.

Ze stond niet bij de slager in de rij, die lang was. Hij had besloten de straat in te lopen naar de poelier, toen hij haar ineens zag met haar rug naar de grote ruit van een café dat hem niet eerder was opgevallen. Hij wilde al tegen het raam tikken, verwachtend dat ze zich zou omdraaien en naar hem zou lachen, toen de uitdrukking op het gezicht van de café-eigenaar hem opeens deed aarzelen. Miquel zag de eigenaar wat kleingeld neertellen en naar een rij flessen achter de bar gaan. Hij schonk een groot glas, van het soort dat gewoonlijk voor water werd gebruikt, vol met een heldere gele vloeistof, die wel wat leek op slappe thee of lichte sherry, en liep ermee terug naar Miquels moeder. Het was, vermoedde hij, een fino, een goedkope wijn of een muskadel. Hij zag haar het glas pakken en in twee slokken leegdrinken, en voordat hij zich weer omdraaide, zag hij twee lege glazen naast haar op de bar staan, hetzelfde soort waterglazen als waar ze net uit had gedronken. Hij liep snel terug naar de plek waar ze hem kort daarvoor had achtergelaten, waar ze hem algauw vond – een blos op haar wangen, haar ogen schitterend – en vervolgens gingen ze de boodschappen voor die dag doen.

Hij wist wat hij had gezien; hij begreep nu waarom ze in haar eentje was weggegaan en hem had laten wachten; ook was hem duidelijk waarom ze zich zo opgewekt, bijna zorgeloos gedroeg toen ze haar eerste aankopen deed. Hij besefte eveneens dat hij dit in zijn achterhoofd al enige tijd had geweten – de geur van haar adem, de stemmingswisselingen en de rusteloosheid waren voldoende aanwijzingen om iets te vermoeden – maar hij had het zichzelf niet toegestaan er een naam aan te geven. Ze had een groot glas wijn achterovergeslagen zoals een dorstig mens een glas water zou leegdrinken. Ze moest hetzelfde hebben gedaan met de andere twee. Er was geen andere verklaring voor. Hij vroeg zich af of dat voldoende voor haar zou zijn, hoelang ze genoeg had aan die grote glazen wijn of sherry of wat het ook was, of dat ze algauw meer nodig zou hebben, of iets sterkers. Hij vroeg zich af of zijn vader het wist en of Jordi het wist. Hij nam aan dat zijn vader het moest weten omdat hij elke nacht met haar in hetzelfde bed sliep en al haar stemmingen en bewegingen kende. Hij wist echter niet precies in welke mate zijn moeder dronk: misschien gebeurde het alleen vroeg op de dag als er markt was in La Seu, maar dat leek hem niet waarschijnlijk. En zelfs als het ernstig was en al een hele tijd speelde, was het echt iets voor zijn vader om er niets over te zeggen en er geen toestand van te maken, maar het gewoon te accepteren als het zoveelste vermakelijke aspect van de wereld.

Toen ze alle groenten hadden gekocht en de bakkerij uit liepen, zei zijn moeder iets tegen hem, waarbij ze haar hoofd zorgvuldig afwendde, viel hem op, zodat hij haar adem niet zou ruiken.

'Toen jij het leger in ging,' zei ze, 'dacht ik dat je nooit meer zou terugkomen, maar eigenlijk ging de tijd heel snel. Het zal ook helemaal niet lang lijken voordat Jordi weer terug is.'

Ze stonden in de rij bij de slager, waar hij haar eerder had gemeend te kunnen vinden. Alles was nu anders, ook al was er maar een kwartier verstreken. Met nieuwe achterdocht beluisterde hij haar stem en sloeg hij haar bewegingen gade. Misschien, dacht hij, had hij te snel conclusies getrokken. Misschien waren dit haar enige paar glazen in de week, en ze had het recht, vond hij, om zich daarop te verheugen, want ze woonde in een dorp waar je geen café en geen winkel had, niets dan vijandige buren en een lange winter.

Zijn moeder kende de slagersvrouw, aan wie ze vaak haar konijnen had verkocht. Toen ze haar nu vertelde dat Jordi het leger in ging, liet de winkelierster blijken dat ze met haar meeleefde, net als de andere vrouwen om haar heen, maar toen ze Miquel zag staan, zei ze glimlachend dat ze zich gelukkig kon prijzen dat ze hem nog had, zo rijzig en knap. Ze mocht blij zijn als hij niet binnenkort ging trouwen, zei de winkelierster. Een van de vrouwen mengde zich in het gesprek en zei dat zij een dochter van dezelfde leeftijd had en dat ze een prachtig paar zouden vormen. Miquel lachte en zei dat hij geen tijd had voor dat soort dingen, dat hij het veel te druk kreeg nu Jordi wegging.

Toen ze Jordi weer zagen, had hij een petje op. Hij grijnsde vrolijk naar Miquel en sloeg zijn arm om hem heen. Ze liepen met hun ouders langs de kramen waar kaas en olijven werden verkocht naar een cafeetje vlak bij het busstation waar ze bocadillo's en frisdrank bestelden.

'Uiteindelijk zul je je petje toch een keer moeten afdoen', zei Miquel.

'Daar wacht ik mee tot de allerlaatste minuut', antwoordde Jordi.

Ze aten zwijgend, en de stilte werd slechts verbroken door hun vaders commentaar, bijna alsof hij in zichzelf praatte, op de klanten of de trage bediening of de prijs van dingen, met inbegrip van een communistische knipbeurt. Miquel zag geen reden om te reageren en was verbaasd dat Jordi zijn voorbeeld volgde. Toen hij weg was, dacht hij, was zijn vaders commentaar op van alles en nog wat het enige geweest dat hij niet had gemist, maar Jordi was milder, meer bereid om harmonie te scheppen, en Miquel wist dat hij alles zou missen zodra hij bij hen was vertrokken. Hij zag zijn moeder tevreden om zich heen kijken en slokjes nemen van een glas water.

Wat later gingen ze uit elkaar; hun moeder vertrok in haar eentje om spullen voor het huishouden te kopen en de mannen gingen flessengas halen en een zaag bekijken die hun vader in een etalage had gezien. Miquel wist zeker dat zijn vader geen nieuwe zaag nodig had, maar misschien had hij nu meer dan een van hen iets nodig om zijn aandacht af te leiden. Miquel bleef aandachtig naar hem staan kijken toen hij met een air van welvarendheid en serieuze bedoelingen de volle aandacht van de winkelbediende wist te trekken en vervolgens de zaag uit de etalage liet halen. Hij zag zijn vader een houtblok vragen om de zaag te kunnen uitproberen; zijn vader wachtte ongeduldig, met de houding van een volleerde houthakker, totdat het gebracht werd. Toen het blok er was, zette hij zijn knie erop en begon te zagen; regelmatig wierp hij de winkelbediende en zijn twee zoons een bedenkelijke blik toe, maar sloeg geen acht op het kleine publiek dat zich om hem heen had verzameld terwijl hij probeerde aan te tonen, besefte Miquel, dat het zaagblad zo goed als bot was. Nadat hij daar naar eigen tevredenheid in was geslaagd, ging hij rechtop staan en sloeg zich het zaagsel van de handen.

Toen ze met de jeep hun moeder ophaalden, stapten Miquel en Jordi uit om zich over haar pakjes te ontfermen. Ze vertelde hun dat de olie er nog niet was. Die zou in de loop van de week worden bezorgd, zei ze. Toen hun vader voorstelde dat ze naar een andere winkel zouden gaan, zei ze nee, ze hadden er al voor betaald. Het was, zei ze, de beste olie en voor de beste prijs, en de winkelier had haar beloofd dat de olie binnen een paar dagen zou worden bezorgd. Het viel Miquel op dat ze al pratend zichzelf bijna niet meer in de hand had en veel te omstandig uitlegde hoe het met de olie zou gaan. Hun vader, die de stad al uit reed, zei dat een kruidenierswinkel zonder olie als een winter zonder sneeuw was, zoiets was onnatuurlijk. Volkomen onnatuurlijk, zei hij inwendig lachend.

Jordi zou nog twee dagen bij hen hebben. Toen ze die avond naar hun slaapkamer gingen en zich zonder eigenlijk iets te zeggen gereedmaakten om naar bed te gaan, nam Miquel alles goed in zich op, zodat hij het zich tot in detail zou herinneren – het sluiten van de deur zodat ze samen alleen in de kamer waren, het kraken van de plankenvloer, het verdelen van de kleine ruimte zodat ze elkaar niet in de weg liepen bij het uitkleden, hun zachte schaduwen op de muur. Jordi was trager in zijn bewegingen dan hij, viel Miquel als voor het eerst op, maar ook ordelijker; hij hield ervan dingen op te vouwen. Hij had zijn pyjama keurig opgevouwen onder zijn kussen liggen. In dienst, in de lange slaapzalen ergens in een grote kazerne, kon er gemakkelijk de spot worden gedreven met zulke gewoonten.

Met zijn blik volgde hij Jordi, die met zijn rug naar hem toegekeerd zijn trui uittrok en voor 's ochtends klaarlegde op de ladekast. Miquel lag meestal eerder in bed dan zijn broer. Hij vermeed het rechtstreeks naar Jordi te kijken terwijl die zijn pyjama aantrok, maar legde zijn handen achter zijn hoofd, keek strak naar het plafond en maakte opmerkingen over dingen, bijna net zoals zijn vader dat deed en soms imiteerde hij, tot Jordi's geschokte verrukking, zijn vaders doorlopende gemopper.

Het vertrouwde leven liep nu ten einde. Jordi zou te zijner

tijd terugkomen, maar kort daarna zou hij alweer moeten vertrekken om op zoek te gaan naar werk en zijn eigen leven te beginnen. Het huis en het land zouden aan Miquel worden nagelaten, zoals hun vader op zijn beurt het huis en boerenbedrijf van zijn vader had geërfd. Avonden als deze zouden er niet meer zijn. Er moesten mensen bestaan, besefte hij, die verlangend naar zo'n verandering uitzagen, die zich verheugden op de eerste nacht van een huwelijk, op al het nieuwe en het afscheid, op het betrekken van een nieuw huis, het nemen van grote beslissingen. Zijn moeder moest 's nachts in bed hebben beseft dat het haar laatste nacht zou zijn in het bergdorpje waar ze woonde. Zijn vader moest zijn eigen broers hebben zien weggaan, de een na de ander. Miquel begreep nu dat hij niet geïnteresseerd was in verandering; hij wilde de dingen houden zoals ze waren. Toen hij hierover had nagedacht en zich begon af te vragen wat dat inhield, was Jordi al in slaap gevallen. Miquel kon zich zijn onschuldige, bleke gezicht goed voor de geest halen, net als zijn tot de hoofdhuid gemillimeterde zwarte haar; hij kon zijn vredige ademhaling horen. Hij wilde hem bijna aanraken, naar hem toe schuiven om zijn hand heel even teder op zijn gezicht leggen.

Hun moeder was de volgende dag onafgebroken in de keuken bezig met de voorbereiding van de avondmaaltijd voor hun vieren; ze maakte een grove paté van gemarineerd konijn, wortel en ui, waar Jordi dol op was, en als hoofdgerecht braadde ze een gevulde gans. Wanneer Miquel door de keuken kwam en langs haar heen liep terwijl ze aan het werk was, speurde hij naar de aanwezigheid van een fles in de buurt van de keukentafel of een glas wijn of cognac binnen handbereik, maar hij kon niets ontdekken.

Die avond legde ze een wit tafelkleed op de mooie oude tafel en dekte hem alsof haar broer en schoonzus uit Pallosa, aan de andere kant van de berg, op bezoek waren of een van de broers van haar man over was uit Lérida. In de namiddag had Miquel wel een fles witte wijn gezien die al open was; hij nam aan dat ze die bij het koken nodig had, maar nu hij nog eens keek, zag hij dat de fles weg was.

Hun moeder borstelde haar haar en kleedde zich om; hun vader had zijn pak aan met een wit overhemd. Het zou ongedwongener zijn geweest, dacht Miquel, wanneer er een paar buren waren langsgekomen of waren uitgenodigd voor het eten, maar daarvoor was er in de loop van de jaren te veel voorgevallen in het dorp. Hoewel alle buren best wisten op welke dag Jordi vertrok, zou daar niet over worden gesproken; het zou onderdeel blijven uitmaken van de drukkende stilte die was neergestreken sinds de ruzie over het water. Ze zouden eten zonder anderen.

Op dit soort avonden zag hij zijn ouders als jong; zijn vader hoffelijk, een en al beminnelijkheid in de manier waarop hij de kaarsen aanstak, eten doorgaf en wijn schonk; zijn moeder kon nu vrijuit praten over haar eigen moeder, het eten dat ze voor allerlei gelegenheden klaarmaakte en wat er over haar werd gezegd, en over de feesten in het dorp van vroeger, de goede buren die ze daar hadden. Dat deed ze dan tactvol, zonder kritiek te laten doorschemeren op het leven dat ze hier leidde, waaraan meer eer werd bewezen dan aan elke andere levensfase.

2

OP EEN OCHTEND na Jordi's vertrek verraste Miquel zijn moeder door zwijgend de keuken in te komen op een moment dat zij een paar grote slokken uit een glas stond te nemen. Haastig zette ze het weer neer. Hij probeerde dicht bij haar te gaan staan om te zien of hij iets aan haar adem kon ruiken, maar ze leek opzettelijk bij hem uit de buurt te blijven en liep gauw naar buiten, naar het konijnenhok en het kippenhok. Zodra ze echter weg was, vond hij het glas. Het was leeg, maar er hing nog een geur van krachtige wijn in; voor hem was dat die ochtend een penetrante geur, bijna een rottingsgeur. Hij liet het glas staan waar hij het had gevonden voor het geval ze plotseling weer zou binnenkomen.

Zijn moeder had Jordi's bed de eerste paar dagen onaangeroerd gelaten. Er ontbrak alleen een opgevouwen pyjama onder het kussen. Pas toen ze de lakens en de dekens van het bed had gehaald en er alleen nog een kaal kussen en een kaal matras op lagen, begon Miquel er 's avonds tegenop te zien naar zijn slaapkamer te gaan. De eerste dagen lukte het hem weleens te vergeten dat Jordi weg was; hij dacht dat hij hem 's nachts hoorde ademen en op een ochtend betrapte hij zich er een keer op, toen de eerste geluiden hoorbaar werden, dat hij naar het bed van zijn broer keek om te zien of Jordi al wakker was.

Aangezien het overdag droog bleef en de zon nog warmte gaf, opperde zijn vader dat ze maar aan de slag moesten blijven, een muur van de schuur herstellen, werk waar ze anders misschien nooit aan toe zouden komen, zei hij, maar dat ze altijd van plan zouden blijven, net zo lang tot hun schuren nog maar een puinhoop waren en de schapen de hele nacht buiten op het land stonden te rillen van de kou. Hij bracht hierbij Castellet ter sprake, een van zijn buren, wiens luiheid altijd iets fascinerends voor hem bleef hebben. Als we de schuren niet opknappen, eindigen we nog als Castellet. Alleen al het uitspreken van die naam leek zijn vader plezier te doen, ontlokte hem de rustige, geamuseerde glimlach waaraan Miquel zo gewend was geraakt.

Het was een fikse klus: er moesten zware stenen worden verwijderd en vervangen, balken gestut en dakleien naar beneden gehaald. Zijn vader, die als steenbikker had gewerkt, begon de muren opnieuw te voegen en bikte stenen af die hij onlangs had gekocht van de eigenaar van een ingestorte schuur uit een nabijgelegen dorp en die hij met zorg had overgebracht naar zijn eigen bedoening. Hij maakte geleidelijk duidelijk dat hij een hele zijkant van de schuur zou afbreken en dat hij voor de binnenkant goedkope baksteen ging gebruiken die hij daarna met natuursteen wilde bekleden. Miquel nam alle til- en sjouwwerk voor zijn rekening, terwijl zijn vader een plekje in de zon had gevonden waar hij kon bikken, bijvormen en afvlakken. Telkens als Miquel met een volle kruiwagen voorbijkwam of hem een nieuwe stapel stenen bracht, had hij wel iets te melden, over de gewoonten van de buren, de slechte kwaliteit van de bakstenen, de duurzaamheid van natuursteen, de korte duur van de lammertijd, het middagmaal dat misschien al klaar stond of waar Jordi nu zou kunnen zijn en wanneer ze iets van hem zouden kunnen horen.

’s Middags na tweeën, wanneer de zon achter de heuvels verdween, werd het altijd bitter koud en daardoor wisten ze dat het, ondanks de prachtige dagen, hartje winter was. Miquel probeerde zijn vader zover te krijgen dat ze het werk na het middageten voor gezien hielden, afgezien van de vaste verzorging en het voeren van de dieren, maar zijn vader beweerde dat een extra uurtje per dag alle verschil zou uitmaken. Als ze dan eenmaal begonnen waren, werkten ze nooit lang door, maar knikte zijn vader lachend wanneer Miquel voor hem ging staan en meedeelde dat hij zijn laatste steen van die dag had versjouwd.

Toen Miquel op een van die dagen eerder dan verwacht 's middags thuiskwam, zag hij dat zijn moeder aan de keukentafel zat. Ze keek niet op toen hij binnenkwam. Normaal gesproken ging ze 's ochtends even zitten om een kopje chocolademelk te drinken, maar verder had ze er een hekel aan, wist hij, te gaan zitten voordat het avondeten achter de rug was. Ze bleef liever de hele dag bezig met koken, kleren wassen en voor haar kippen, konijnen en ganzen zorgen. Hij deed eerst alsof hij haar niet in de gaten had en nam een glas water uit de kraan, maar toen hij zich omdraaide, zag hij dat ze met haar armen om zich heen geslagen heen en weer zat te wiegen. Toen hij haar vroeg of ze zich niet goed voelde, keek ze hem niet aan.

'Ga je vader halen', zei ze.

Toen Miquel terugkwam met zijn vader, zat ze nog steeds te wiegen alsof ze geen andere manier wist om te voorkomen dat de pijn allesoverheersend werd, wat voor pijn het ook mocht zijn. Ze keek niet op.

'Wat is er?' vroeg zijn vader.

'Je weet best wat er is', zei ze bedaard en ze deinsde terug toen zijn vader haar wilde aanraken.

'Hebben jullie het samen gedaan, of alleen jij?' vroeg ze.

'Alleen ik', zei zijn vader.

'Wat heb je dan gedaan?' vroeg Miquel.

'De vaatjes pasbezorgde wijn weggegooid, ze leeggegoten', zei ze.

'Ik heb geen wijn gezien', zei Miquel.

'Dat was bijna geen wijn te noemen', zei zijn vader. 'Azijn. Je hebt niets gezien omdat ze hem had verstopt. Ik heb het hele avontuur bekeken vanaf de vliering van de lage schuur, met de verrekijker die je uit dienst hebt meegebracht. Ze kwamen de olie bezorgen, maar dat was gewoon een smoesje.'

'Mij bespioneren', zei zijn moeder.

'En wat heb je toen gedaan?' vroeg Miquel zijn vader.

'Ik ging naar beneden', zei zijn vader, 'toen ze weg waren, en ik heb alles leeggegoten, de hele boel. En ik heb de vaatjes teruggezet waar ze stonden, maar het vergif was er nu uit.'

'Van vergif weet jij alles af', zei ze.

Miquel werd overvallen door haar plotselinge woede, haar scherpte.

'Ik ben degene die bij je moet slapen', zei zijn vader. 'En bij de stank van dat spul waarmee je ligt weg te rotten in je slaap.'

Zijn moeder bleef heen en weer wiegen, alsof ze er niet waren. Ze stonden dicht bij haar. Miquel zag een blik op het gezicht van zijn vader, zowel medelijdend als zenuwachtig – bang, zo leek het Miquel, dat hij te veel had gezegd en nu bereid iets milder tegen haar te doen.

'Het spijt me', zei zijn moeder rustig, 'dat ik ooit iemand van jullie heb gekend.' De toon waarop ze sprak was ondubbelzinnig, afdoende. Miquels vader keek haar verbaasd aan.

'Iemand van ons?'

'Dat zei ik toch. Heb je me niet verstaan?'

'Wie bedoel je dan?'

'Ik bedoel de mensen in dit huis.'

'Wie dan? Laat dan eens horen wie je bedoelt.'

'Ik bedoel iedereen, maar vooral jou.' Ze sprak weer rustig. 'Dat is wie ik bedoel.'

'Nou, dan heeft het geen zin om met je te praten, hè?' zei hij.

'Ben je van plan te vervangen wat je hebt weggegooid?' vroeg ze.

'Nee.'

'Nou, dan houdt alles op', zei ze en ze begon te huilen.

Terwijl zijn vader het huis uit liep, wist Miquel niet meer of hij moest blijven. Door het raam zag hij dat zijn vader naar de schuur liep die ze aan het opknappen waren. Miquel luisterde terwijl het gehuil van zijn moeder harder werd, onbeheerster. Hij ging dichter bij haar staan en legde zijn hand op haar schouder. Langzaam schoof ze haar hand naar de zijne, pakte een van zijn vingers en streelde die, en toen nam ze zijn hele hand in die van haar en hield hem stevig vast. Het gehuil hield nu op, maar ze wiegde nog wel zachtjes heen en weer.

3

ZIJN MOEDER VERROERDE zich niet en wilde niets eten. Toen Miquel het vuur had aangestoken en er extra aanmaakhout op had gelegd totdat het hoog oplaaide, stelde hij haar voor bij de haard te komen zitten. Ze liet zich er door hem naartoe brengen en op een stoel zetten alsof ze blind was of geen eigen wil had. Ze bleef erbij dat ze geen honger had. Aan haar vragen of ze iets wilde drinken zou als een wrange grap klinken, dus dat vroeg hij maar niet.

Miquel en zijn vader gingen aan tafel zitten en aten de soep die van de vorige dag over was en daarna wat ham en tomaten met brood. Het was niet de avondmaaltijd die ze gewend waren, maar ze zeiden er niets over en klaagden niet. Toen hij naar bed wilde gaan en zijn vader boven op de overloop tegenkwam, sprak Miquel hem op rustige toon aan en stelde voor dat ze 's ochtends naar La Seu zouden gaan om wat wijn voor haar te kopen, betere wijn dan het bocht dat de kruidenier had bezorgd, en dat ze haar nu zouden vertellen dat ze met hen mee kon gaan als ze wilde. Zijn vader legde zijn arm om hem heen voordat hij antwoordde.

'Nee, het is beter zo. Dat hebben we al gedaan toen jij weg was. Ze moet helemaal stoppen. Dat is wat de dokter ons een paar maanden geleden heeft gezegd, dat stoppen de enige manier was om te stoppen. Nu, omdat ze niets te drinken heeft, zal ze stoppen. Dat is het beste. Over een paar dagen is ze weer in orde.'

'Hoelang drinkt ze al?' vroeg Miquel.

'Een paar jaar.'

'Hoe kan het dat we daar niets van hebben gemerkt?'

'We hebben het allemaal gemerkt', zei zijn vader.
'Jordi niet', zei Miquel.
'Jawel, jongen, jawel', zei zijn vader.

Toen hij weer naar beneden ging, liep zijn vader met hem mee; ze zagen dat zijn moeder nog voor het vuur zat. Ze zat te rillen als van de kou. Miquel liet hen alleen en ging naar bed.

Toen hij in bed lag, met het licht uit en wat vage geluiden hoorbaar van beneden, schoot hem te binnen hoe anders Jordi zich tegenover hem had gedragen als ze alleen in de slaapkamer waren in de tijd dat hij pas met groot verlof was. Vroeger waren Jordi en hij onbevangen en ontspannen geweest wanneer ze zich in elkaars bijzijn uitkleedden, maar nu hield Jordi gauw iets voor zijn onderlichaam wanneer Miquel binnenkwam, of hij ging opgelaten op de rand van zijn bed zitten om zijn onderbroek uit te trekken en zijn pyjamabroek aan te doen, even zedig alsof er een vrouw in de kamer was. Jordi en zijn vader hadden tijd nodig om aan zijn thuiskomst te wennen en ze verhulden het feit dat ze zich zonder hem hadden weten te redden; Jordi stond met tegenzin de taken af die vanzelfsprekend zijn oudere broer toebehoorden. Vandaar dat ze hem ook niet hadden verteld dat zijn moeder tijdens zijn afwezigheid een hopeloze drinkster was geworden. Door dit geheim te bewaren hadden ze hem als een vreemde behandeld.

In de nacht hoorde hij hun stemmen in de kamer beneden; zijn vaders stem was kalm, maar die van zijn moeder hoog en klaaglijk. Ten slotte gingen ze naar bed en was het een poosje stil, totdat hij de vloerplanken hoorde kraken en een van hen weer naar beneden ging. Kort daarna volgde de ander en klonken de stemmen opnieuw. Hij wist dat hij niet zou kunnen slapen. Het was toch al moeilijk sinds Jordi niet meer in het andere bed lag; het was het ontbrekende geluid dat hem wakker hield – niemand die snurkte, regelmatig ademhaalde of zich omdraaide – en waar hij meer last van leek te hebben dan van de wind die nu van richting scheen te zijn veranderd en in de paar uurtjes voor de dag aanbrak fel uit het noorden kwam en aan het raam rammelde.

's Ochtends trof hij zijn vader in de keuken aan. Zijn moeder lag in bed, nam hij aan. Zijn vader begon zich te scheren bij het kleine spiegeltje boven de gootsteen en ging daarbij met trage bedachtzaamheid te werk.

'Moeten we niet in La Seu gaan halen wat ze hebben wil?' vroeg Miquel.

Zijn vader gaf geen antwoord.

'Om het weggegooide te vervangen.' Hij sprak met stemverheffing.

'Nee', zei zijn vader terwijl hij Miquel in de spiegel aankeek. 'Op een dag moet ze ermee stoppen. Vandaag is altijd de beste dag voor alles. Ze ligt nu trouwens te slapen.'

Hij ging nog trager en bedachtzamer door met scheren, alsof dat voorrang verdiende boven alles wat zijn zoon aan de orde zou kunnen stellen. Miquel vond wat brood, dat hij inwreef met olie, tomaat en zout, en ook vond hij een hompje kaas, waar hij een plak afsneed. Hij at snel en gulzig, en toen hij naar buiten ging om eieren te rapen in het kippenhok, kwam hij langs zijn vader, die niets tegen hem zei.

Eenmaal in de schaduw gekomen merkte hij hoe vreselijk koud het was geworden; het water op het afgeschutte stuk grond voor het kippenhok was helemaal bevroren. De lucht was blauw, maar het was niet het stille, vredige blauw van de voorgaande dagen; het was meer dat de wolken waren teruggedreven door de wind, waardoor het blauw van de lucht iets blootgelegds en rauws kreeg. Toen hij omlaagkeek naar de schuren, zag hij dat zijn vader een beschut plekje in de zon had gevonden. Miquel ging naar hem toe, en de rest van de ochtend waren ze bezig de nieuwe baksteen van de schuur stukje bij beetje met natuursteen te bekleden.

Voor het middageten gingen ze poolshoogte nemen bij de schapen en namen voer mee van de zolderverdieping van de schuur. Ze wisten niet precies hoe laat het was, maar toen ze eenmaal klaar waren bij de schapen, verbaasde Miquel zich erover dat zijn moeder hen nog niet had binnengeroepen om te komen eten. Toen schoot hem te binnen wat er gebeurd was en vroeg hij zich af of ze nog steeds in bed lag of te overstuur was om voor hen te koken.

Toen ze het huis binnenkwamen, wist hij dat ze niet in de keuken was geweest. Er was niets aangeraakt of opgeruimd. Clua had geen eten gekregen, zag hij. Zijn vader ging naar boven, kwam weer beneden en zei dat ze niet in hun slaapkamer was. Toen ze klaar waren met hun eerste doorzoeking van het huis en het erf rond de schuren en bijgebouwen, wist Miquel dat ze weg was. Dat ze haar de hele ochtend aan haar lot hadden overgelaten, niet één keer het huis waren binnengegaan, zelfs niet om een glas water te halen of om te kijken hoe ze eraan toe was, leek nu een uitnodiging aan haar om weg te gaan. Toen ze een tweede keer zochten en ook deze zoektocht niets opleverde, begon Miquel te bedenken waar ze naartoe kon zijn en hoe ze kon zijn gereisd. Ze kon niet haar heil bij een van de buren hebben gezocht; de mensen in het dorp zouden niet hebben geweten wat ze moesten als ze bij hen op de stoep had gestaan; ze kwam al een paar jaar niet meer bij een van hen over de vloer. Er was geen transport vanuit het dorp, geen bus, behalve bij de hoofdweg, tien of elf kilometer verderop, en die reed onregelmatig. Niemand zou stoppen om haar een lift te geven als ze lopend naar La Seu was gegaan, tenzij het iemand was die niet van hier kwam, wat onwaarschijnlijk was.

Ze was hoe dan ook bij hen weggegaan. Toen zijn vader voorstelde om de schuren te doorzoeken, schudde Miquel zijn hoofd. Zijn moeder had vlak langs hen heen moeten lopen om bij de schuren te komen, afgezien van de korte tijd dat Miquel en zijn vader poolshoogte bij de schapen hadden genomen, en zelfs dan zouden ze haar hebben gezien. Haar jas was weg en ook haar goede sjaal en haar laarzen. Zelfs toen Miquel zijn vader twee keer had laten zien waar de ontbrekende jas had gehangen en waar de ontbrekende laarzen hadden gelegen, ging hij telkens weer naar boven om haar te zoeken, naar de vliering, naar de voorraadkamer, naar de schuur recht onder hen. Miquel ging aan tafel zitten en liet zijn vader zoeken zo lang hij wilde, omdat hij wist dat ook hij uiteindelijk zou moeten gaan zitten om te bespreken wat er nu moest gebeuren.

Er werden nog tien of twaalf huizen bewoond in het dorp; er was niets wat ongezien gebeurde, de oude mensen zaten voor het raam te kijken, de schaarse jonge mannen waren op het land of bij de schuren, de vrouwen waren met het huishouden bezig en keken regelmatig hoe het met het weer gesteld was. In geen van de huizen waren kinderen; de meeste jongeren hadden de wijk genomen naar de steden of naar grotere plaatsen. Miquel en Jordi waren de twee jongsten die in het dorp waren overgebleven. Er was hun van jongs af bijgebracht zich niet op anderen te verlaten, maar pas de laatste jaren was de vijandigheid tussen hun vader en de rest van het dorp zo verergerd dat er vrijwel geen contact met de buren meer was. Hun vader had aangifte gedaan tegen drie families wegens het omleiden van water gedurende de zomermaanden. Hij was naar Tremp gegaan om tegen hen te getuigen, terwijl andere families, van wie ook water was gestolen, het juist voor hen hadden opgenomen. De rechter had boetes opgelegd. De bereidheid van

Miquels vader om hen te verraden lag de beboete huishoudens nog vers in het geheugen. Als het hem lukte bij een van zijn zoons gehoor te krijgen, had hun vader er plezier in zijn buren dieven en leugenaars te noemen. De buren liepen hem op hun beurt elke dag zonder iets te zeggen straal voorbij.

Nu zouden hij en Miquel de huizen af moeten gaan en met hun zoektocht naar zijn moeder toegeven dat niet alles in orde was bij hen thuis. Ze konden er zelfs niet zeker van zijn, besefte Miquel, dat de buren hun zouden vertellen wat ze hadden gezien. Maar er zat niets anders op. Toen zijn vader het zoeken had gestaakt, trokken ze daarom hun jas aan en gingen op pad; ze zorgden ervoor dat ze bij de naaste buren begonnen, zodat niemand zou denken dat ze speciale vrienden hadden of een bepaald gezin in het dorp voortrokken.

Mateu van Casa Raúl kwam langzaam naar de deur, met zijn dikke buik naar voren gestoken. Hij was een van de mannen die een boete had moeten betalen. Hij kneep vol afkeer zijn ogen samen zodra Miquels vader zijn mond opendeed en hij liet niet blijken dat hij ook maar iets begreep van wat er werd gezegd. In plaats daarvan bekeek hij hun gezichten en liet rustigjes tot zich doordringen wat hij zag. Aanvankelijk geloofde Miquel dat ze niets aan Mateu zouden hebben, of hij hun moeder nu wel of niet had gezien. Het probleem was hoe snel ze bij hem konden weggaan. Miquel stootte zijn vader aan en knikte met zijn hoofd naar het volgende huis, maar zijn vader leunde op zijn gemak tegen de deurpost en wachtte ergens op zonder zijn vraag te herhalen of nog iets te zeggen, terwijl Mateu zijn keel schraapte. Mateus huis stond het dichtst bij dat van hen; Mateu was waarschijnlijk de hele dag de deur niet uit geweest, veronderstelde Miquel, hij had goed zicht vanuit zijn ramen en had haar makkelijk kunnen zien, ongeacht welke kant ze was op gegaan.

Terwijl ze in de deuropening stonden, werd de lucht ineens donkerder; boven hen verschenen inktzwarte wolken die zich samenpakten tot een laaghangende, dichte massa. Het licht werd donkerpaars en er stond geen wind. Miquel huiverde. Hij wist dat het sneeuw betekende; het zou de eerste sneeuw worden, laat dit jaar, en des te heviger op een dag zo koud als deze.

'Ik heb haar wel zien weggaan,' zei Mateu, 'maar ik heb haar niet zien terugkomen.'

'Welke kant op?' vroeg Miquels vader.

'Ze heeft de weg naar Coll del So genomen.'

'Maar die leidt nergens heen', zei zijn vader.

Mateu knikte.

Het schoot Miquel meteen te binnen dat die weg naar Pallosa leidde, waar de broer van zijn moeder nog het ouderlijk huis bewoonde; daar kon je in vier of vijf uur komen.

'Hoelang geleden heb je haar gezien?' vroeg zijn vader.

'Ze is al een paar uur weg', zei Mateu.

'Hoelang? Drie of vier uur?'

'Ja, drie of vier uur, of iets ertussenin.'

De sneeuw viel zachtjes neer terwijl de lucht nog donkerder werd. Het waren dikke vlokken; ze smolten niet meteen toen Miquel ze keurend op de rug van zijn hand opving. Met de jeep, wist hij, was de smalle weg naar het kerkje in Santa Magdalena goed te doen, en misschien zelfs ook over de legerweg naar Coll del So, maar voorbij dat punt, dacht hij, zou zijn moeder naar Pallosa afdalen over oude weggetjes en paadjes waar geen jeep kon rijden en die geen buitenstaander kon vinden. Na drie of vier uur lopen kon ze nog steeds op de legerweg zijn, maar dat was niet waarschijnlijk. Het lag meer voor de hand dat ze Coll del So zou hebben bereikt en dan was ze misschien al de echt steile paadjes ingeslagen, en hij wist dat ze zich naar de jeep moesten haasten en zo hard mogelijk over die slingerende weg naar het hoogland moesten rijden waar ze in de zomer hun schapen hielden, terrein waar ze 's winters nooit kwamen.

'Jullie zullen nu niet ver komen', zei Mateu tegen hen toen ze wegliepen van zijn deur.

'Weet je zeker dat ze die kant op is gegaan?' riep Miquel naar hem terug.

'Vraag het de anderen maar, we hebben haar allemaal gezien.'

Ze liepen snel terug naar het huis. Terwijl zijn vader de jeep keerde, holde Miquel het huis in om zijn verrekijker te halen.

'Wat moet je daar nou mee?' vroeg zijn vader.

Miquel keek naar de verrekijker op zijn schoot.

'Ik weet het niet... Ik dacht...'

'We hebben geen tijd om te denken', zei zijn vader.

Over de smalle weg reden ze het dorp uit; de ruitenwissers stonden op de hoogste stand, maar toch nog werd hun zicht belemmerd door de sneeuw, en de koplampen van de jeep beschenen ondoordringbare witte vlagen. Als zijn moeder hun over de weg tegemoet was gekomen, zelfs met opgeheven armen, zouden ze haar niet hebben gezien. Het moest zijn vader duidelijk zijn, wist Miquel, dat hun tocht weinig zin had. De enige hoop, meende Miquel, was dat ze later was vertrokken dan Mateu had gezegd. Hij dacht daar even over na, net als over de mogelijkheid dat ze langzaam had gelopen of op een bepaald moment was teruggegaan, en vervolgens stond hij stil bij een andere mogelijkheid – dat ze snel had gelopen en nog eerder was vertrokken dan Mateu had gezegd en dat ze al in de buurt van Pallosa was, dat ze zo goed en zo kwaad het ging omlaagklauterde over de oude paadjes. Traag en behoedzaam vorderend, voorzichtig aan bij elke stap. Het was voor haar bekend terrein; ze zou niet snel een misstap maken, dacht Miquel. Maar daar was hij niet zeker van. Misschien waren alle paadjes die naar beneden liepen wel aan het zicht onttrokken en was elke stap verraderlijk.

Zijn vader moest zijn uiterste best doen om de jeep onder controle te houden toen die ging schuiven en slippen. Ook wanneer de sneeuw niet hard tegen de voorruit werd gejaagd, konden ze hem in dichte golven zien vallen en zich ophopen op de weg voor hen, zodat ze na een poos over een dikke deken van sneeuw reden, die naarmate ze verder kwamen steeds moeilijker begaanbaar werd. Het werd algauw duidelijk dat hun de voortgang op den duur zou worden belemmerd, dat hun terugweg zou zijn afgesneden.

Miquel wist dat het verstandig zou zijn om voor te stellen dat ze zouden stoppen en keren, dat doorrijden wellicht zinloos en misschien zelfs gevaarlijk was, maar hij wist ook dat als ze zouden keren om naar huis te gaan, ze geconfronteerd zouden worden met een volstrekte leegte, zonder enig idee waar zijn moeder was en met een lange nacht in het verschiet.

Toen er ergens een kleine open plek was, probeerde zijn vader de jeep te keren, zonder iets te zeggen, in de overtuiging, meende Miquel, dat de sneeuw hier op vlak terrein lag. Maar onder de sneeuw zat juist een diepe kuil tussen de weg en de berm, waarin nu een van de voorwielen wegzakte. Zijn vader vloekte terwijl Miquel uit de jeep stapte om te zien of hij het voertuig gemakkelijk weer op de weg kon krijgen. Hij zag het wiel als een razende ronddraaien, als een spin die in het water is gevallen. Uiteindelijk moesten ze overal stenen vandaan halen en een kort plankje achter uit de jeep pakken om onder het wiel te leggen; terwijl ze om de jeep ronddraafden, werden ze verblind door de sneeuw. Toen hij zich omdraaide om aan de sneeuwjacht te ontkomen, merkte hij dat die waaiend en wervelend uit alle richtingen kwam, alsof de vier windstreken met elkaar wedijverden. Toen ze het wiel hadden gestabiliseerd, probeerden ze de jeep op de weg terug te duwen, maar de wielen waren vastgelopen in de sneeuw en gaven niet gemakkelijk mee. Ze waren een half uur lopen van het dorp af, schatte Miquel, misschien iets langer vanwege de sneeuw, en terwijl zijn vader de motor liet razen in een ultieme poging de jeep in beweging te krijgen, stelde hij zich voor dat zijn moeder, die aan het ergste weer was ontkomen, nu zachtjes aanklopte op de deur van haar broers huis, het huis waar ze was geboren. Ze hielden van haar in dat huis en zouden haar verwelkomen, en 's ochtends zouden ze een manier bedenken om bericht te sturen dat ze in veiligheid was.

Nog één keer sjorde hij aan de jeep terwijl zijn vader haastig het gaspedaal indrukte. De jeep schoof opzij; zijn vier wielen stonden nu op de weg, maar de wagen stond wel nog steeds met zijn neus van het dorp af. Zijn vader riep dat hij moest instappen, dat hij nog een poging ging doen om de jeep te keren. Hij zette hem in zijn vrij en liet hem heel zachtjes vooruitrollen tot zover hij het veilig achtte, trok toen de handrem aan en zette hem in zijn achteruit. Hij liet de handrem los en gaf een klein beetje gas. Eerst kwam er geen beweging in, maar toen begonnen de achterwielen rond te draaien in de sneeuw totdat zijn vader het gaspedaal heel stevig indrukte; daarna reden ze slippend over de weg hard achteruit. Maar nu stonden ze bijna in de richting van het dorp; ze konden weer terugrijden en kwamen slechts met moeite door de aangroeiende sneeuwlaag op de grond en de vlagen grote sneeuwvlokken, die zich net zo snel op de voorruit ophoopten als de ruitenwissers ze konden wegvegen.

Eenmaal thuisgekomen namen ze alle mogelijkheden door, hoe snel ze kon lopen, hoe laat ze was vertrokken, hoelang het duurde voordat je over de weg de oude paadjes zou vinden waarover je bergafwaarts in Pallosa kwam. Zelfs in de zomer waren er lastige stukken bij, gedeeltes waar je meer omlaag moest klauteren dan lopen. Ze kon, zei Miquel, zijn teruggegaan toen het begon te sneeuwen. Ze wist hoe gevaarlijk een sneeuwstorm zoals deze kon zijn. Zelfs als ze dichter bij Pallosa was geweest toen het begon, kon ze hebben gedacht dat het op het vlakke pad veiliger was dan op de hellingen naar beneden, en ook al zou het haar uren hebben gekost, ploeterend door de sneeuw, was dat wellicht het verstandigste geweest om te doen.

'Als we naar La Seu gaan', zei Miquel, 'kunnen we de politie daar vragen of ze willen uitzoeken of ze in Pallosa is aangekomen. We zouden haar als vermist kunnen aangeven.'

Zijn vader zuchtte.

'Ik weet dat ze ergens is en nog leeft', zei hij.

Miquel reageerde niet.

Toen er op de deur werd geklopt, dacht hij in eerste instantie dat hun problemen voorbij waren, dat ze was teruggekomen. Toen drong echter tot hem door dat ze niet bij haar eigen huis zou aankloppen. Degene die had aangeklopt bleef buiten staan. Misschien was ze gevonden of wist iemand waar ze was. Toen zijn vader de gang in liep en de deur opendeed, zag Miquel dat het Josep Bernat en zijn vrouw waren. Ze waren hier sinds de rechtszaak niet meer in huis geweest, wist hij.

'We zagen haar gaan', zei Josep. 'We vonden het al zo'n

vreemde tijd om de deur uit te gaan. Ze had een tas bij zich.'
'Een boodschappentas', vulde zijn vrouw aan.
'Het viel ons op omdat de winkels de andere kant op zijn.'
'Ze ging zeker terug naar Pallosa', zei Miquels vader.
'Had je haar daar niet met de auto naartoe kunnen brengen?' vroeg Josep.
Omdat zijn vader weer een zucht slaakte, liep Miquel naar het raam, waar hij zag dat er buiten nog steeds een dichte, wervelende sneeuw viel. Het bezoek bleef staan; er was niet gevraagd of ze hun jas wilden uittrekken en ook niet of ze iets wilden drinken. Miquel merkte dat Josep nu spijt had van zijn laatste vraag. Hij glimlachte aarzelend naar zijn buurman toen zijn vader zich omdraaide.
'We zouden haar bij de politie in La Seu als vermist kunnen aangeven', zei Miquel.
'De weg is nu waarschijnlijk onbegaanbaar en misschien heeft de telefoonverbinding het daar wel begeven', antwoordde Josep. 'Straks wordt het nog erger omdat het ook nog begint te vriezen. Ze zullen morgenochtend de weg wel vrijmaken, hoop ik.'
'Weet u nog hoe laat ze vertrok?' vroeg Miquel.
'Ze vertrok niet vroeg genoeg om vóór al die sneeuw in Pallosa te zijn', antwoordde Josep.
'Ze had kunnen omkeren toen het begon', zei Miquel.
'Het zal in die sneeuwstorm niet meevallen je gevoel voor richting te houden', zei Josep.
'Hou nou maar op!' zei Miquels vader.
'We wilden net zeggen dat de mannen allemaal naar haar gaan zoeken als het licht wordt', zei de vrouw van Josep. 'Zodra het licht is. Maar nu kunnen ze niet naar haar zoeken. De ergste sneeuw moet nog komen. In zo'n sneeuwjacht kunnen ze er niet opuit.'
'Dan is ze er dus geweest', zei Miquels vader terwijl hij

zuchtend ging zitten. 'Niemand houdt het buitenshuis een nacht uit. De kou zal haar dood zijn.'

'Dat weet je toch niet', zei Josep.

'Dan praten we morgenochtend verder', zei Miquels vader. 'We kunnen de politie vragen om na te gaan of ze ooit in Pallosa is aangekomen.'

Toen Josep Bernat en zijn vrouw vertrokken, bleef Miquel hen samen met zijn vader staan nakijken terwijl ze wegsjokten door de sneeuw. Daarna ging Miquel naar buiten om ervoor te zorgen dat er voldoende voer in het kippenhok was; hij raapte meteen ook eieren en gaf daarna de konijnen te eten en sloot het schuurtje waarin ze zaten af voor de nacht. In de deuropening gaf hij Clua, die uitgehongerd leek, wat etensresten. Terwijl zijn vader zwijgend aan tafel zat, bakte hij zes eieren en liet de olie daarbij rondspatten op de tegels om het fornuis zoals zijn moeder dat nooit zou doen. Hij sneed wat oudbakken brood en zette zout, olie en de enige nog resterende halve tomaat op tafel. Hij schoof drie eieren op een bord voor zijn vader en drie voor zichzelf. Terwijl ze in stilte aten, dacht Miquel steeds opnieuw aan de mogelijkheid dat dit niet echt gebeurde, dat het een langdurige droom was waaruit hij weldra wakker zou worden, of een toneeltje dat onverwacht een andere wending zou nemen wanneer er opnieuw werd aangeklopt of wanneer er buiten een jeep stopte of haar gezicht met een zenuwachtig lachje voor het raam verscheen, terwijl ze allebei opstonden om haar te begroeten, hun bord halfleeg gegeten.

's Ochtends werd hij wakker van het geluid van laarzen op de trap, laarzen op de vloerplanken beneden en mannenstemmen. Hij kleedde zich snel aan in de ijskoude slaapkamer voordat hij de luiken opendeed en een wereld van pure, oogverblindende witheid zag. Hij ging naar beneden. Er waren daar een stuk of vijf mannen uit het dorp, een van hen had een kan koffie en wat cognac meegebracht. Het viel hem op dat zijn vader er naast deze andere mannen verschrompeld en geïntimideerd uitzag. Hij besefte dat hij zijn hele leven zelden andere mannen in deze keuken had gezien, zijn oom een paar keer en de postbode, of mannen die iets kwamen verkopen of repareren, maar die waren om een of andere reden altijd wat schimmig gebleven. Deze mannen, opgestaan bij het krieken van de dag en klaar voor de zoekactie, hadden de kamer in bezit genomen; ze waren zelfverzekerd, bruusk en alert.

Buiten op het stoepje voor het huis wachtten hun honden. Het was bitter koud en er viel nog steeds sneeuw; in de nacht was er een kniehoge laag gevallen. Het zou moeilijk zijn, dacht hij, om onder deze omstandigheden vooruit te komen. De buren waren het met elkaar eens dat zijn moeder al meer dan drie uur weg was toen het begon te sneeuwen. Als ze was gevallen of ergens een schuilplaats had gevonden, zou dat hoogstwaarschijnlijk niet dicht in de buurt zijn. Alle sporen die ze had gemaakt zouden zijn verdwenen onder de sneeuw, en de lucht was vermoedelijk zo koud dat de honden nergens een geur zouden kunnen oppikken. Hun enige hoop was dat ze flink had voortgemaakt of onderweg gezelschap had getroffen en met andermans hulp bij het huis van haar broer had weten te komen voordat het echt donker werd en er een dik pak sneeuw kwam te liggen.

De mannen liepen langzaam, vastberaden. Miquel had het idee dat zij even goed wisten als hij dat deze zoektocht zinloos was, dat er bij deze gestage sneeuwval niet eens een lichaam zou worden gevonden en dat het onder deze omstandigheden zelfs onmogelijk zou zijn Coll del So te halen. Ze deden het, wist hij, omdat ze niet niets konden doen, ondanks het feit dat ze een hekel aan zijn vader hadden. Ze zouden niet graag willen dat bekend werd dat ze thuis met hun duimen hadden zitten draaien of een makkelijk winterklusje hadden opgeknapt toen er een vrouw uit het dorp in de sneeuw was verdwenen. En daarom liepen ze de hele ochtend consciëntieus over de weg die zijn moeder moest hebben bewandeld. Ze bleven alleen staan wanneer er een flacon cognac en wat brood en koude worst de ronde deed. Ze spraken niet veel met elkaar, maar met Miquel en zijn vader spraken ze helemaal niet.

Het was al ver na het middaguur, het sneeuwde nog steeds en ze waren nog niet eens bij de kerk van Santa Magdalena, waar de smalle legerweg begon. Miquel zag dat ze met elkaar overlegden terwijl zijn vader een eindje verderop stond. Hij wist dat ze de zoektocht voor vandaag graag zouden staken; het zou hun drie uur kosten om terug in het dorp te komen. Dat betekende dat ze nog ruim een uur konden doorgaan en toch terug konden zijn voordat het begon te schemeren, maar het was duidelijk dat ze al moe waren. Elke stap in de zware sneeuw eiste zijn tol; ze zouden uitgeput zijn wanneer ze weer thuis waren.

Het was makkelijker om te dromen dan om iets anders te doen, te fantaseren dat zijn oom zijn moeder uit Pallosa naar huis bracht nadat ze een nachtje had uitgerust, en dat de jeep van zijn oom in het dorp verscheen op hetzelfde moment dat ze met z'n allen terugkwamen. Toen ze omkeerden, drong ten volle tot Miquel door dat ze allemaal wisten dat zijn moeder het niet had overleefd, dat de mannen uit het dorp hem en zijn vader hadden meegenomen op deze vergeefse zoektocht om hun gedachten af te leiden van het kille feit dat Miquels moeder vermist werd, dat ze ergens dood lag, dicht bij of vlak onder de Coll del So, bedekt door een laag sneeuw van een meter of meer, dat ze nooit meer naar hun huis zou terugkomen, tenzij haar doodskist daar kwam te staan wanneer ze was gevonden. Lopen was dus een manier om hen aan dit nieuwe feit te laten wennen zonder dat ze de hele dag in een leeg huis zouden moeten wachten, zonder dat er iets gebeurde, zonder dat er iets te zeggen was.

Bij hun terugkeer in het dorp zagen ze een politiejeep voor hun huis staan, met twee geüniformeerde leden van de Guardia Civil erin. Zodra de groep dorpelingen volledig in het zicht kwam, stapte de politieagent die achter het stuur zat uit de jeep, en daarna, toen ze dichterbij waren, kwam de andere agent tevoorschijn. Hij was erg jong, viel Miquel op, en leek haast wel verlegen. Zonder zijn pet af te nemen wierp hij een blik op de mannen die op hem afkwamen en keek toen de andere kant op. Zijn metgezel, de chauffeur, was van middelbare leeftijd, gedrongen, zonder pet. Hij zag dat de agent zijn vader en hemzelf eruit pikte als de twee mannen met wie hij zou moeten spreken, en Miquel vroeg zich af hoe de politie was gewaarschuwd. Terwijl ze op de jeep afliepen, wierp Miquel een blik op de achterbank om te zien of ze haar soms hadden gevonden en haar lichaam bij zich hadden. Maar er lag niets, op een oud vloerkleed na.

Zodra ze binnen waren, verklaarde zijn vader dat zijn vrouw best ongedeerd kon zijn, best in Pallosa had kunnen aankomen en thuis bij haar broer kon zijn. De oudste politieman noteerde de naam van de broer en zei met een zwaar zuidelijk accent dat wanneer de enige telefoonverbinding met Pallosa, daar in het politiebureau, het weer deed, hij zou bellen zodra hij weer terug was in La Seu, en dat hij naar Pallosa zou gaan als de weg begaanbaar was. Voorlopig had hij eerst een signalement van haar nodig.

Terwijl Miquels vader aan het woord was en de politieagent aantekeningen maakte, schoof de jongste politieagent, die naast de keukendeur met zijn rug tegen de muur leunde, zijn pet naar achteren zodat Miquel zijn gave, ongerimpelde voorhoofd en zijn grote donkere ogen kon zien. Terwijl deze ogen de kamer inspecteerden en zich heel kort leken te concentreren op wat er tussen de twee oudere mannen plaatsvond, keek hij Miquel opeens recht aan. Miquel was zich ervan bewust dat hij al vanaf het eerste moment dat de jongere man in de kamer was naar hem stond te staren en dat hij nu beter de andere kant op kon kijken en alles wat er was gebeurd, ongeacht wat, kon laten oplossen in een moment van onverholen nieuwsgierigheid en verder niets. Maar hij keek niet de andere kant op. Aandachtig bestudeerde hij het gezicht van de jonge politieman in het schemerige keukenlicht, de volle roodheid van zijn lippen, de vierkante, harde koppigheid van zijn kaken en kin en daarna de zachtheid van zijn ogen, met wimpers als van een meisje. De jonge politieman keek op zijn beurt alleen naar Miquels ogen, met een kille, uitdrukkingsloze blik, alsof hij hem op norse wijze iets verweet. Toen Miquel zijn ogen op het kruis van de politieagent richtte, keek ook die omlaag, en even glimlachte hij, met geopende lippen, voordat hij weer keek zoals kort daarvoor, maar nu intenser, bijna dierlijk, loerend naar iets wat binnen zijn bereik lag.

Terwijl zijn collega zijn laatste aantekeningen maakte en klaar leek om te vertrekken, nam de jonge politieman zijn pet af. Aan de andere kant van de kamer liet Miquel zwijgend merken dat dit gebaar hem niet ontging. Toen draaide de jonge politieman, die niet één keer had gesproken, zich om en hield de deur voor zijn collega open zodat hij kon voorgaan. Hij gebaarde naar Miquels vader dat hij moest volgen en leek daarmee volgens Miquel een situatie te willen creëren waarin de beide oudere mannen buiten zouden staan en de twee jongere mannen bij de deur of in het halletje. Maar Miquels vader aarzelde en drong er uit beleefdheid op aan dat de jonge politieagent voor hem de deur uitging. Miquel nam de jonge politieagent nauwkeurig op terwijl diens metgezel de jeep achteruitreed, keerde en heel even vaart minderde voordat hij wegreed.

Terwijl Miquel zich bezighield met de taken van zijn moeder, liep zijn vader naar buiten, waar hij hout begon te hakken. Verwoed kapte hij er met de handbijl op los en spleet blokken hout die ze ook best in één stuk hadden kunnen verstoken. Miquel zag op tegen de avond, wanneer hun niets anders restte dan op nieuws over haar te wachten, in de wetenschap dat ze misschien niet gauw iets zouden horen.

Hij herinnerde zich een spelletje dat hij met haar was gaan doen zodra hij kon lopen. Hij wist niet hoe het was begonnen, maar als zij in de kamer was, verstopte hij zich onder de tafel, onder het bed of achter een stoel, en daarna deed zij alsof ze hem niet kon vinden en daar gingen ze allebei mee door tot vlak voordat hij bang werd. Dan kwam hij tevoorschijn en veinsde zij verrast, geschrokken en opgetogen te zijn en tilde hem hoog in de lucht. Hij kon zich niet herinneren dat hij dit ooit in aanwezigheid van zijn vader had gedaan, en toen Jordi eenmaal dingen begon te begrijpen, werd hij angstig van de verdwijning en zogenaamde zoektocht en werd hij jaloers door de kreten waarmee zijn moeder en zijn broer elkaar herkenden en opeens begroetten. Nu Miquel door het huis liep, was hij sterk bedacht op de donkere plekjes, die in de schemering nog schimmiger werden, de plekjes waar je je kon verstoppen om daarna weer tevoorschijn te komen, alsof zijn moeder op mysterieuze wijze thuis kon komen en ergens een plaatsje zou kiezen waar ze niet een-twee-drie te vinden was.

Die avond aten ze in stilte nog wat gebakken eieren,

oudbakken brood en koude worst totdat Miquel zijn vader vroeg wat ze met Jordi aan moesten. Ook al hadden ze geen adres van hem, geen idee waar hij was, ze konden wel de politie in La Seu vragen contact met hem op te nemen.

'En wat zeggen we dan?' vroeg zijn vader.

Miquel gaf geen antwoord.

'Die heeft al genoeg aan zijn hoofd', zei zijn vader.

'Hij zou het toch van iemand anders kunnen horen?'

'Die zit veel te ver weg om iets te horen.'

'Je kunt toch mensen van thuis tegenkomen?' zei Miquel. 'Je weet nooit wie je tegenkomt, en zo iemand zou het nieuws gehoord kunnen hebben.'

'Voorlopig', zei zijn vader, 'vertellen we hem niets, we laten hem met rust.'

Toen ze hadden gegeten, kwam Foix, die de hele vorige dag als leider van de zoekactie had opgetreden, aan de deur, maar hij wilde niet binnenkomen, ook al sneeuwde het buiten behoorlijk. De telefoonverbindingen, zei hij, waren nog steeds niet hersteld. Het was zijn zwager gelukt, zo ging hij verder, het dorp te bereiken, en hij had twee honden achtergelaten die waren afgericht op het volgen van een geurspoor. Hij had al eerder met ze gewerkt, zei hij, en betere waren er niet. En dus zouden ze bij het krieken van de dag met de honden op pad gaan, alle mannen die er gisteren bij waren geweest zouden weer meegaan, ook al werd het terrein misschien moeilijker begaanbaar omdat er 's nachts een nog dikker pak sneeuw kon vallen.

Voordat ze naar bed gingen, zei zijn vader dat hij de volgende dag zou proberen met de jeep naar La Seu te rijden en vandaar over de straatweg naar Sort en daarna, als dat kon, naar Pallosa. Miquel zei dat hij met de mannen zou meegaan, maar toen hij naar het raam liep en zag dat de sneeuw in nog dichtere hoeveelheden naar beneden kwam dan daarvoor, besefte hij dat zijn vader noch de mannen de volgende dag erg ver zouden komen en dat als het op deze manier bleef sneeuwen het dorp aan beide zijden van de buitenwereld afgesneden zou worden.

Zijn vader en hijzelf, besefte Miquel, sliepen in hun eentje in kamers waar de schrille afwezigheid tastbaar was; het was moeilijk om te blijven bedenken dat zowel zijn moeder als Jordi weg was en dat haar afwezigheid nog grotere proporties zou aannemen wanneer Jordi zou terugkomen en zij niet. Hij ging een tijdje op Jordi's bed liggen totdat hij door de kou werd gedwongen zich uit te kleden en beschutting onder de dekens te zoeken. Hij wou maar dat het twee weken geleden was, voordat Jordi wegging; hij wou maar dat het drie jaar geleden was, toen hij net was thuisgekomen; hij wou maar dat het elke andere tijd was dan nu.

's Ochtends werd hij weer gewekt door voeten op de vloerplanken van de kamer onder hem; hij had diep geslapen en hij zou graag wat langer vertoeven in de vergetelheid waaruit hij zojuist was weggerukt. Meteen wist hij dat hij zou moeten opstaan om de hele dag in de ijskoude lucht naar zijn moeder te zoeken; de sneeuw zou in zijn laarzen dringen en zijn tenen zouden net als zijn vingers in ijsklompjes veranderen. Hij keek naar Jordi's bed en vroeg zich af of hij contact met hem kon krijgen als hij zich maar sterk genoeg concentreerde, zodat hij hem ervan kon verzekeren dat ze het allemaal goed maakten, ondanks de winter, en dat hij geen nieuws te melden had, dat er sinds Jordi's vertrek niets gebeurd was.

Toen Miquel in de keuken verscheen, nam Foix hem terzijde om te zeggen dat de twee speurhonden, die buiten zaten te wachten, een geur nodig hadden waarmee ze aan de slag konden: hoe beter de geur, hoe groter de kans om haar te vinden. Vandaar dat hij iets nodig had, zei hij, wat van haar was, iets wat ze had gedragen. Hij begon te fluisteren toen hij Miquel vertelde dat haar kleren weinig nut zouden hebben als ze gewassen waren sinds de laatste keer dat ze ze had gedragen; hoe dichter het kledingstuk op haar lichaam was gedragen, hoe bruikbaarder het zou zijn. Hij keek Miquel aan alsof ze samen een complot beraamden, niet alleen tegen iedereen in deze kamer, maar ook tegen de met sneeuw bedekte buitenwereld.

Miquels vader, die nu wel wist dat hij zijn jeep niet omhoog zou krijgen op de steile heuvel na de bocht waarover je uit het dorp op de weg naar La Seu kwam, zat in zijn eentje aan tafel terwijl er nog meer mannen opdaagden en nog meer honden jankten in de ijskoude ochtend. Het was 's nachts opgehouden met sneeuwen; voor zonsopgang was de temperatuur gedaald, wat betekende dat ze niet alleen moesten oppassen voor diepe sneeuw, maar ook voor bevroren gedeelten. Zijn vader leek ten einde raad, uitgeput, totaal niet betrokken bij wat er om hem heen gebeurde. Miquel besloot hem niet met het verzoek van Foix lastig te vallen, maar in zijn eentje naar boven te gaan om daar iets van zijn moeder te zoeken waaraan haar geur was blijven hangen.

Hij was vergeten hoe goed hij de ladekast onder het slaapkamerraam van zijn ouders kende. Hij kwam al jarenlang niet meer in die kast, maar als kleine jongen vond hij het heerlijk om, onder toezicht van zijn moeder, elke lade ervan te openen, de inhoud eruit halen, weer op te vouwen en precies zo terug te leggen als hij hem had aangetroffen. In de bovenste la bewaarde ze aan de ene kant documenten, rekeningen en kwitanties en aan de andere kant zakdoekjes en sjaals. In de middelste lade lagen haar blouses en truien, in de twee onderste laden lag haar ondergoed. Wanneer ze deze laden opentrok, rook je niet haar eigen geur, maar die van lavendel en parfum. Hij bleef overal van af; er lag hier niets waarmee Foix en zijn speurhonden iets konden beginnen.

In de hoek van de kamer stond de oude wasmand, van hetzelfde formaat als die op zijn eigen kamer, waarin de vuile kleren werden gegooid. Hij was maar halfvol; bovenop lagen door zijn vader gedragen overhemden plus wat sokken, onderbroeken en onderhemden, en helemaal onderin lagen de laatste dingen die zijn moeder in dit huis had gedragen en hier had achtergelaten, ook de blouse die ze had gedragen op de avond van Jordi's etentje en die nog in de mand lag, zo vermoedde hij, zodat ze hem op een speciale manier kon wassen en drogen. Daaronder lag wat ondergoed van haar, dat hij oppakte en in zijn handen hield en waar hij, met een blik over zijn schouder om te kijken of er niemand achter hem stond, aan rook. Hij begroef zijn gezicht in haar intieme geur, die heel duidelijk was ondanks het feit dat er dagen waren verstreken sinds ze dit ondergoed had gedragen. Daardoor kwam een sterke zweem van haar aanwezigheid in deze kille kamer, en heel even maakte hij zich een voorstelling van de honden die blindelings door het landschap trokken, die alleen met deze geur leefden en de tedere bron ervan zochten onder de sneeuw of in het struikgewas. Hij zou achter ze lopen. Op één na liet hij alle stukken onderkleding weer in de mand vallen en duwde ze weg onder zijn vaders kleren. Daarna liep hij met het ene dat hij had uitgekozen naar beneden om het aan Foix te geven, die bij de honden voor de deur stond te wachten.

Het was een veel koudere dag dan de vorige, en ze schoten veel minder hard op omdat de twee nieuwe honden achter valse geursporen aan gingen, waardoor ze van de weg afraakten en hoog in de heuvels belandden terwijl de mannen beneden op hen moesten wachten. Miquels vader liep meestal een heel eind achter hen aan, zonder de indruk te wekken dat hij naar haar zocht of uitkeek naar aanwijzingen waar ze zou kunnen zijn. Miquel zag dat Foix, Castellet en een paar van de andere mannen duidelijk geërgerd achterom keken. Ook merkte hij dat hun buren op deze tweede zoekdag geanimeerder deden, het fijn leken te vinden om tegen de honden te schreeuwen, levendiger werden naarmate er meer tijd verstreek. Door hun opwinding kwam zijn vader over als ongeïnteresseerd, bijna verveeld, terwijl hij achter hen aansjokte alsof zijn enige doel was geen natte voeten te krijgen.

De beide honden, dacht Miquel, bezaten meer energie dan intelligentie, en hij vroeg zich af waarom Foix niet begreep, net als hijzelf nu, dat alles wat onder een berg opvriezende sneeuw begraven lag hoogstwaarschijnlijk geen geur afgaf. Hij wist echter dat er niets anders voor hem opzat dan verder te trekken door wat, met uitzondering van de prenten van vossen en wilde zwijnen, een vlakke, maagdelijke witheid was, ogenschijnlijk onschuldig, bijna mooi, volslagen onschadelijk, iets waarvan de verraderlijke aard laagsgewijs onder het onbeschreven oppervlak school.

In het begin van de namiddag konden ze al niet meer verder: de sneeuw lag hier te hoog en je kon steeds moeilijker zien waar de weg daalde en steeg, waar de berm begon en hoe steil daar de helling was. De honden, die sinds 's ochtends vroeg niets meer te eten hadden gekregen, werden steeds lastiger; tussen twee ervan uit het dorp ontstond een gemeen gevecht waarin ze elkaar grommend en jankend probeerden te verscheuren. Ze moesten door hun eigenaar in bedwang worden gehouden en daarna met schoppen en trappen tot stugge onderdanigheid worden gebracht. Miquel merkte dat alle mannen meehielpen ze uit elkaar te houden, ze vast te houden en tegen ze te schreeuwen, behalve hijzelf en zijn vader, die op een afstandje bleven kijken, en hij voelde wel dat dit de mannen eveneens irriteerde. Hij was dan ook blij toen ze het zoeken opgaven en aan de terugtocht begonnen, hoewel ze eerst moesten wachten tot de twee nieuwe honden terugkwamen van hun zoveelste vergeefse speurtocht. Miquel zorgde ervoor dat hij bij de andere mannen bleef lopen, tussen twee van hen of in de buurt van een van hen. Zijn vader kwam zo'n eind achteraan dat hij hem een paar keer niet kon zien wanneer hij achterom keek.

Die avond liet zijn vader nadrukkelijk weten dat het was afgelopen met de vergeefse expedities, dat die mannen een hekel aan hem hadden en alleen maar twee dagen lang zinloos op pad waren gegaan om hem te pesten en hem te vernederen. Hij wilde niets meer met ze te maken hebben, zei hij. Ze zouden de volgende ochtend, zei hij, naar La Seu gaan, waar het marktdag was, of de weg nu begaanbaar was of niet; ze zouden naar het punt rijden waar de doorgang versperd was om daar te wachten of zich te voet door de sneeuw te worstelen die daar de weg blokkeerde.

Zonder zijn vader te raadplegen verliet Miquel het huis om langs te gaan bij Foix, die, toen hij in de deuropening verscheen, hem op bijna agressieve toon vroeg wat hij wilde. Miquel vertelde hem dat er de volgende dag niet gezocht zou worden, maar dat ze naar La Seu gingen, waar ze misschien mensen uit Pallosa zouden tegenkomen. Ze konden er ook met de politie spreken. Ook zei hij dat hij Foix graag voor al zijn hulp wilde bedanken.

'En je vader?' vroeg Foix. 'We weten allemaal dat hij kan praten. Of is hij soms zijn tong verloren?'

Miquel bleef hem rustig aankijken.

'Hij is erg uit zijn doen.'

Zonder iets te zeggen deed Foix de deur dicht. Toen Miquel thuiskwam, vertelde hij zijn vader niet waar hij was geweest.

De weg naar La Seu was vrij, maar op bepaalde stukken gevaarlijk glad op de vroege ochtend. Miquel had geslapen zonder te dromen en hij had de eerste paar minuten van de dag geloofd dat dit een gewone, normale dag in zijn leven zou worden. De nacht had alle herinnering uitgewist aan de dagen die net voorbij waren. Maar toen hij beneden kwam zag hij dat zijn vader helemaal niet had geslapen en doodmoe leek te zijn; halverwege elke zin hield hij op met praten omdat hij was vergeten wat hij had willen zeggen. Zijn vaders slaapgebrek leek als gevolg te hebben dat hij voorzichtiger reed, vaart minderde in bochten en op hellingen. Er was bijna geen verkeer op de weg. Toen ze bij de hoofdweg aankwamen, was het daar zelfs rustig, en dat was voor een marktdag ongebruikelijk.

Twee weken geleden had hij hier met zijn moeder gelopen, samen met haar in de rij gestaan, gemerkt dat ze even bij hem wegging om gauw drie drankjes te drinken, en nu slenterden zijn vader en hij in alle vroegte over de markt, terwijl de kraampjes nog amper waren opgezet, op zoek naar iemand uit Pallosa, Burch, Tirvia of een van de andere dorpjes uit de buurt, die misschien iets over haar kon vertellen. Miquel wist dat het vanwege de slechte wegen en de kapotte telefoonleidingen hoogst onwaarschijnlijk was dat iemand iets over haar wist en dat iedereen op de hoogte moest worden gebracht van wat er was gebeurd, alsof het een onfatsoenlijk geheim was, en dat het nieuws zich daarna zou verspreiden. Hij overwoog zijn vader voor te stellen om niet meer de hele ochtend over de spookachtige markt te lopen, maar uit te zoeken of de weg naar Pallosa begaanbaar was en daar nu heen te rijden, om zijn oom te raadplegen voordat deze het als gerucht of uitgekauwd nieuwtje van iemand anders hoorde.

Ze aten een bocadillo in een café. Ze waren allebei uitgehongerd; toen hij hem op had, kwam Miquel in de verleiding om te zeggen dat hij er nog wel een wilde. Hij was vastbesloten wat eten in te slaan omdat ze nu al drie dagen op weinig anders leefden dan de eieren die hij bij de kippen had geraapt. Maar omdat zijn vader naar het politiebureau wilde gaan, leek het hem beter te wachten en eerst een kop koffie te drinken en dan later nog wat te eten, misschien zelfs een fatsoenlijke warme maaltijd. Ze liepen langs de kraampjes in de richting van het politiebureau en waakten ervoor geen van de marktlui aan te kijken en te groeten, aangezien ze niet aangesproken wilden worden door kooplieden die misschien over de vermiste vrouw hadden gehoord en daar nu meer over wilden weten. Maar ze keken nog wel uit naar mensen uit de dorpen rond Pallosa.

Toen ze voorbij de bakkerij ergens een zijstraatje in gingen, zagen ze Francesc, Miquels oom, de broer van zijn moeder uit Pallosa, op hen afkomen, samen met zijn vrouw en een buurvrouw. Miquel bleef meteen staan en liet zijn vader vooruitgaan. Hij bleef in een portiek staan kijken hoe zijn vader hen begroette. Hij kon het gezicht van zijn oom en zijn tante wel zien, maar kon aanvankelijk niet goed peilen hoe ze reageerden. Zijn oom knikte alleen maar, zijn tante en de buurvrouw luisterden aandachtig mee. Langzaam zag hij echter het gezicht van zijn oom betrekken; het was een lichte verandering, er kwamen geen rimpels in zijn voorhoofd of hij trok niet met zijn mond, maar voor Miquel was het genoeg. Hij wist het al voordat zijn oom iets zei en met zijn hoofd schudde en zijn tante haar hand voor haar mond sloeg en de andere vrouw een gebaar maakte om haar te troosten, hij wist dat zijn moeder niet veilig in Pallosa was aangekomen, en uit de manier waarop zijn vader nu door zijn oom aan de tand werd gevoeld, maakte hij op dat zijn oom en tante niet op de hoogte waren geweest van zijn moeders verdwijning. Hij kwam uit de schaduw vandaan en ging op hen af.

De weg naar Pallosa was twee dagen lang geblokkeerd geweest, zei zijn oom, en de enige telefoonverbinding was uitgevallen. Miquel keek naar zijn oom en zag dat deze moeite met ademhalen leek te hebben, hij haalde zwaar adem tussen zijn woorden in en staarde naar de grond, zijn voorhoofd nu diep gerimpeld.

'En op die dag ging het sneeuwen,' zei hij, 'harder dan iemand zich kan herinneren. We zaten volkomen ingesneeuwd.'

Miquel merkte dat zijn oom een fundamentele vraag binnenhield toen hij zich liet vertellen hoe laat ze was vertrokken, door wie ze was gezien, hoelang ze al onderweg was voordat het ging sneeuwen. Zijn oom wilde duidelijk graag weten waarom ze was vertrokken, hoe het kwam dat haar vertrek hun was ontgaan, hoe het kwam dat ze niet wisten hoe laat ze zich op zo'n gevaarlijke tocht had begeven en waarom ze was gaan lopen als ze naar Pallosa moest wanneer er een jeep voor de deur stond. Terwijl zijn oom hun strak in de ogen keek, besefte Miquel dat het langzaam tot hem doordrong dat ze in overspannen toestand of na een ruzie was vertrokken, en hoe meer zijn oom een zwijgend oordeel leek te vellen, dacht hij, hoe schuldbewuster zijn vader en hij moesten hebben geleken.

Ze besloten dat ze samen naar het politiebureau zouden lopen om haar officieel als vermist op te geven. Zijn oom meende dat de politie dan verplicht zou zijn naar haar te gaan zoeken, met alle middelen waarover ze beschikten. Zijn oom had de reputatie een aardige, intelligente man te zijn, wist Miquel, en nu hij zag hoe hij de touwtjes in handen nam, herinnerde hij zich hoe zijn moeder zich er altijd over beklaagde dat ze bij hen in het dorp niemand hadden als Francesc, bij wie je met je problemen terechtkon.

Dicht bij het politiebureau zag Miquel, eerst uit zijn ooghoeken en daarna heel duidelijk, Foix en Castellet achter een jeep staan, in gezelschap van twee politieagenten. Zijn oom zag hen ook, maar Miquel besefte dat hij hen niet herkende; zijn vader keek alleen maar naar de grond en Miquel maakte hem ook niet attent op de aanwezigheid van de dorpelingen in La Seu.

De balieagent leek van het geval op de hoogte te zijn en zei dat ze moesten wachten. Er stonden maar twee stoelen in het smalle gangetje. Om de beurt weigerden ze alle vijf te gaan zitten, en voor de komende en gaande agent vormden ze een onhandig groepje dat telkens opzij moest omdat het in de weg stond. Na verloop van tijd zeiden Miquels tante en haar vriendin dat ze weer naar de markt gingen en de anderen later wel in het café naast de bakkerij zouden treffen. Miquel zei dat hij meeging; hij moest boodschappen doen op de markt. Het was voor zijn vader misschien makkelijker, dacht hij, om zijn oom te vertellen wat er werkelijk gebeurd was als hij niet meeluisterde. Voordat hij wegliep, viel het hem op hoe knap zijn oom was en hoe pienter en alert hij leek zoals hij daar in dat gangetje stond te wachten. Naast hem zag zijn vader eruit als een arme man uit een arm dorp, nederig en niet op zijn gemak in een overheidsgebouw in de stad.

Ze liepen naar de markt toe. Uit de manier waarop zijn tante met haar buurvrouw sprak en regelde dat ze ieder voor korte tijd hun eigen weg gingen, maakte hij op dat ze alleen met hem wilde zijn, en hij nam aan dat ze wilde weten wat er gebeurd was. Ze bezat niet het geduldige vermogen van haar man om iets volledig te bevatten zonder alle bijzonderheden aangereikt te krijgen. Miquel zag wel, nu haar vriendin was weggegaan, dat ze hengelde naar een uitvoerig verslag van zijn moeders laatste uren bij hen thuis. Hij besloot, zonder te weten waarom, dat hij haar niet op de hoogte zou brengen.

Toen ze hem vroeg of hij meeging naar de slager, besefte hij dat ze van plan was naar de slager te gaan waar zijn moeder altijd kwam, en hij deinsde terug voor de gedachte dat ze daar nog zouden weten wie hij was, de jonge man wiens broer in het leger ging, en naar zijn moeder zouden vragen. Hij zou geen idee hebben wat hij moest zeggen. De droom waaraan hij nu deelnam, een wereld die bestond uit wachtende en winkelende mensen en marktkraampjes, leek op zich al de mogelijkheid uit te sluiten dat de duisternis van de voorgaande paar dagen enige zin kon hebben, zelfs maar genoemd kon worden. Hij zei tegen zijn tante dat hij niet met haar de slagerij in wilde, maar haar later weer zou ontmoeten, zoals afgesproken met zijn vader en oom.

'Wat is er gebeurd?' vroeg ze terwijl ze voor de winkel stonden.

'Dat weten we niet', zei hij. 'Ze is het dorp uit gelopen in de richting van Pallosa.'

Zijn tante slaakte een geërgerde zucht.

'En meer is er niet gebeurd?' Haar blik was scherp en beschuldigend. 'Is ze zonder reden op een ijskoude winterdag gewoon weggelopen?'

Hij knikte.

'Nou, ze is niet aangekomen', zei zijn tante.

'Ik weet niet wat we zonder haar moeten beginnen', zei Miquel.

Hij wist dat hij hiermee verdere vragen van zijn tante afkapte, maar het verwoorden op zich, het toelaten van de verdrietige toon die hij alleen had aangeslagen als strategie om te verhinderen dat ze zou doorvragen, bleef niet zonder uitwerking en hij merkte dat hij was gaan huilen. Hij wendde zich af en liep bij haar vandaan, met zijn hand voor zijn gezicht, zodat niemand zijn tranen zou zien, en hij keek niet om.

Later, toen hij naar het café ging, waren zijn vader en oom er nog niet. Zijn tante begroette hem kil. Hij bestelde een broodje en toen het kwam, moest hij zijn uiterste best doen om het niet weg te grissen en in een paar happen op te eten. Toen hij het op had, voelde hij opnieuw de dringende behoefte er nog een te bestellen.

Toen de vriendin van zijn tante verscheen en ging zitten, nam ze hem nieuwsgierig op.

'Ik kon het niet geloven toen ik je daarstraks zag', zei ze. 'Je lijkt sprekend op je grootvader uit Pallosa, nee, meer nog, je bent in alles zijn evenbeeld. Ik bedoel zelfs in de manier waarop je me nu aankijkt.'

'Hij was al oud toen ik hem kende', voegde zijn tante eraan toe, 'maar ik weet nog dat ze dat allemaal zeiden. Zelfs als klein kind deed je dingen die je moeder aan hem deden denken.'

'Ik heb hem nooit gekend', zei Miquel.

'Nou, het is alsof je een geest ontmoet', zei de vrouw.

'Ze heeft er nooit iets over gezegd', zei Miquel.

'Ik wou dat mijn man hier was', vervolgde de vrouw. 'Hij zou versteld van je staan, zelfs van de manier waarop je nu van me wegkijkt, hij zou versteld staan.'

'Volgens mij lijken we allemaal op mensen uit onze familie', zei zijn tante. 'Volgens mij is dat natuurlijk.'

Toen zijn vader en zijn oom eindelijk kwamen, was het

Miquel duidelijk dat ze zwijgend van het politiebureau naar hier waren gelopen. Miquel voelde ook aan dat er zijn vader vragen waren gesteld die hem behoorlijk hadden aangegrepen. Hij ontweek ieders blik toen hij ging zitten.

Zijn oom legde vervolgens uit dat de politie een professionele zoektocht op touw zou zetten, vanuit beide dorpen, het dorp waaruit ze was weggelopen en het dorp waarnaar ze op weg was gegaan. Ze zagen geen aanleiding om de familie of de dorpelingen te laten meezoeken, dat zou alleen maar last geven, zei hij. Ze zouden 's ochtends bij het krieken van de dag beginnen zoals, naar zijn mening, twee dagen geleden had moeten gebeuren. Maar ze konden niets anders doen, zei hij, dan hopen dat deze zoektocht resultaat zou opleveren. Miquel moest een lachje onderdrukken bij de gedachte dat zijn oom nu sprak als een politieman.

Toen hij en zijn vader thuiskwamen na een moeizame tocht over de gladde wegen, waarbij de jeep op elke helling was vastgelopen en weggegleden en in een aantal bochten een gevaarlijke schuiver had gemaakt, was de duisternis al bijna ingevallen. In eerste instantie herkende hij de drie jeeps niet die voor het huis geparkeerd stonden. Alles wat er gebeurde was zo nieuw dat hij van drie vreemde jeeps niet eens opkeek; ze waren nauwelijks het vermelden waard. Toen zag hij dat het politiejeeps waren en dat er twee agenten bij de deur stonden, die hun komst nauwlettend gadesloegen omdat ze hen hadden herkend en omdat ze, vermoedde hij, op hun terugkomst hadden gewacht. Hij had geen van deze agenten al eens eerder gezien. Met een knikje, maar zonder iets te zeggen, liepen Miquel en zijn vader op hen af. Ze konden ongehinderd het huis binnengaan. In de keuken zat de jonge agent die de dag na haar verdwijning was gekomen al op een stoel bij het raam. Er kwam geen verandering in zijn uitdrukkingsloze gezicht toen Miquel het elektrische licht in de kamer aandeed.

Toen de oudere agent, die al eerder bij hen thuis was geweest, naar beneden kwam, deelde hij mee dat de politie het huis en de schuren beneden aan het doorzoeken was. Ze hoorden het geluid van zware laarzen op de houten vloeren van de bovengelegen kamers. Miquel maakte aanstalten om naar boven te gaan, maar de oudste agent versperde hem de weg.

'Nee, nee', zei hij. 'Willen jullie allebei beneden blijven?'

'Wat denken jullie daarboven te vinden?' vroeg zijn vader.

'Jullie moeten allebei beneden blijven', zei de agent nog eens, met een knikje in de richting van de jongere agent, die opstond alsof hij zich bij de deur wilde posteren. Het viel Miquel op dat zijn ogen doffer waren dan de vorige keer en dat zijn haar minder glansde. Hij bleef volkomen onverstoorbaar onder Miquels blik en keek terug zonder schijnbaar ook maar in het minst notitie te nemen van wat hij zag. Hij keek niet één keer naar Miquels vader, die een stoel had gepakt en aan de keukentafel zat.

Toen de oudere agent het huis verliet, hoorden ze een geluid uit de richting van een van de schuren; een van de grote oude deuren, vermoedde Miquel, die werd opengetrokken. Hij liep in de richting van het raam, zodat hij kon zien wat er gebeurde, maar de jonge agent gebaarde rustig, zonder iets te zeggen, dat hij moest blijven waar hij was.

'Staan we onder arrest?' vroeg Miquels vader.

De agent keek niet naar hem en gaf geen antwoord. Hij bleef Miquel en daarna ook zijn vader in de gaten houden met een blik die niets vijandigs had, maar alleen dwingend was doordat er geen uitdrukking in lag. Door zijn halsstarrige onbeweeglijkheid leek zijn gezicht op een streng, wit masker. De agent had nog niets tegen hen gezegd; uit zijn stem, zijn accent, zouden ze te veel over hem kunnen afleiden. Het stoorde Miquel niet dat hij niet naar het raam had mogen gaan; hij wist dat ze niet onder arrest stonden, dat het doorzoeken van het huis en de schuren een routinekwestie was, misschien op aandringen van Foix en Castellet. De jonge agent had uit bedeesdheid niet gewild dat hij ergens anders ging staan, meende hij, eerder uit angst voor zijn meerderen dan vanuit enig eigen gezag. Terwijl ze daar alle drie bleven, en zijn vader onderuitgezakt in zijn stoel naar de grond staarde, keken Miquel en de agent elkaar strak aan, wendden toen hun blik af en keken elkaar na een poosje nog eens aan, waarbij Miquel zijn ogen langzaam over het lichaam van de jongeman liet gaan. De agent zag hem dat doen met iets wat het midden hield tussen aanvaarding en onverschilligheid, totdat Miquel opstond en weer naar het raam ging. De agent haalde zijn schouders op, maar kwam niet van zijn plaats.

Miquel kon zien dat de zeven of acht agenten die zich nu voor het huis hadden verzameld gezelschap hadden gekregen van Foix en Castellet. Hij wist echter niet van welke kant ze waren gekomen, of zij ook in de schuren waren geweest. Hun daagse plunje deed geen afbreuk aan het gezag dat ze onder de agenten schenen te hebben, die allemaal buitenstaanders waren. Terwijl Foix sprak en gebaarde, stonden ze aandachtig te luisteren. Miquels vader kwam naar het raam en keek ook naar hen, maar omdat hun aanwezigheid in La Seu hem niet was opgevallen, besefte Miquel dat hem zou ontgaan wat het betekende dat ze hier met de politie voor de deur stonden. Miquel was benieuwd wat ze hadden gezegd om zo'n positie van kennelijk vertrouwen te kunnen innemen. Toen de jonge agent eindelijk weer naar de anderen werd teruggeroepen, verliet hij het huis zonder iets te zeggen, en de drie jeeps reden weg, waarna Foix en Castellet langzaam door de sneeuw het dorp in liepen.

Nu waren zijn vader en hij alleen. Miquel dacht niet dat een van hun buren naar hen toe zou komen; ze waren niet nodig bij de zoektocht op de berg die door de politie zou worden uitgevoerd. Weer ging het door zijn hoofd dat ze Jordi moesten schrijven, maar in die brief moest nu komen te staan wat zijn vader en hij nog niet eens tegen elkaar hadden gezegd. Hij wist dat Jordi, als hij een dergelijke brief kreeg, per se naar huis zou willen komen, of hij daar nu toestemming voor kreeg of niet. Maar zelfs als hij toestemming kreeg, zou dat maar voor een paar dagen zijn. Miquel stelde zich voor dat hij bij zijn thuiskomst niets zou aantreffen, alleen een leegte in huis, zijn vader tot zwijgen vervallen, met niets te doen, geen graf om te bezoeken, geen lichaam om aan te raken, geen doodskist om te dragen, geen woorden van troost van de mensen om hen heen. In plaats daarvan een bevroren landschap en de gevreesde periode zonder dooi.

Miquel kon zich geen beeld vormen van Jordi's reactie op een brief; hij probeerde zich voor te stellen dat hij hem las en vervolgens snel naar hen toe zou komen, waar dan ook vandaan. Al zijn hele leven, van kleins af aan, raakte Jordi in paniek bij het zien van een gewonde kat, een hinkende hond of een hongerig dier. Zijn hele jeugd hadden ze hem ervan moeten weerhouden zich over zwerfhonden of buurkatten te ontfermen. Hij moest worden binnengehouden wanneer de jagers in het bos op wilde zwijnen schoten en die vervolgens bloederig door het dorp zeulden. Weg van huis zou hij Clua, die door Miquel en zijn vader maar net werd getolereerd, net zo missen als hij een van hen miste. De gedachte dat zijn moeder misschien vermist of in gevaar was zou onverdraaglijk voor hem zijn; het feit dat ze verdwenen was, ergens ver weg diep bedolven onder de sneeuw lag, kon hem nu niet worden meegedeeld. En toch begreep Miquel ook dat het een waar staaltje van verraad was om het hem niet vertellen, hem te laten leven alsof deze gebeurtenis niet had plaatsgevonden.

Toen ze zaten te eten, werd er op de deur geklopt, waardoor ze elkaar geschrokken aankeken. Toen Miquel opendeed, zag hij Josep Bernat met een pakketje in zijn hand. Bernat was meegegaan op de tweedaagse zoektocht, maar hij had zich op de achtergrond gehouden zodat hij nauwelijks was opgevallen. Hij zei dat hij niet binnenkwam, maar zijn vrouw had brood gebakken en er zaten nog een paar andere dingen uit haar provisiekamer in de zak waarvan hij hoopte dat ze er iets aan zouden hebben. Met een buiginkje vertrok hij meteen nadat Miquel hem had bedankt.

Bernat maakte er een gewoonte van 's avonds langs te komen en bracht dan vaak een kan melk of wat verse spullen mee, bijna als een voorwendsel om op bezoek te komen. Sinds Miquel er in zijn eentje opuit trok, soms tot voorbij Santa Magdalena, en zich een eind op de legerweg waagde, waar de sneeuw bij de ijzige temperaturen was bevroren en je bij elke stap goed moest uitkijken, was Bernat een en al adviezen en ideeën over waar hij moest zoeken. Hij scheen op de hoogte te zijn van alle sterfgevallen in de omgeving sinds de Burgeroorlog, met name van mensen die zelfmoord hadden gepleegd of waren verongelukt. La Señora Fluvia, wier man nog leefde en die een tiental jaar geleden was gevallen in de sneeuw, was een van Bernats geliefde onderwerpen. Haar familie, vertelde hij, was elke dag, twee maanden lang, langs de plek gelopen waar ze lag, maar ze was bedekt door een laag ijs die nooit door de zon werd beschenen, zodat ze daar bleef liggen totdat de algehele dooi intrad. Of de man die met de Engelse vrouw getrouwd was, een kunstschilder – die was bij Pallosa met zijn jeep van de weg geraakt en daarbij was ook nog een kind om het leven gekomen.

'Het is jammer', zei hij op een avond, 'dat jullie er die eerste avond met de jeep niet doorgekomen zijn, dan hadden jullie haar misschien wel gevonden.'

Miquels vader knikte.

Miquel wilde graag weten waar zijn moeder volgens Bernat nu echt zou zijn en wanneer of hoe ze kon worden gevonden, maar hij kreeg geen rechtstreeks antwoord uit hem los. Op de avonden dat Bernat op bezoek kwam, luisterde Miquel naar zijn verhalen en probeerde het gesprek daarna te brengen op de mogelijkheid van plotselinge dooi, die het gevaarlijkst voor haar was, omdat haar lichaam dan nog niet gauw te vinden zou zijn, maar ze wel een gemakkelijke prooi was voor vogels en andere dieren voordat zij bij haar konden komen. Bernat was het met hem eens, dacht een poosje na en wachtte tot Miquels vader de kamer had verlaten. Toen zei hij dat, aangezien de politie haar na grondig zoeken niet had gevonden, haar lichaam naar zijn mening pas kon worden opgespoord wanneer de voorjaarsdooi intrad, wanneer er op dat hele stuk land geen sneeuw en ijs meer lag. En daarna moesten ze overdag voortdurend de lucht in de gaten houden, zei hij, en als ze dan gieren zagen, moesten ze meteen in de jeep springen om keihard naar de plek te rijden waar die gieren rondcirkelden. En op die manier, zei hij, zul je haar vinden.

4

ZE KONDEN GEEN van tweeën koken. Zijn vader weigerde het te proberen, maar bleef wel voortdurend klagen over de eentonigheid van het eten. Te veel eieren, zei hij. Te veel koude ham. Miquel probeerde rijst te koken, maar die werd korrelig en hard, hij wist niet of hij er te weinig of te veel water bij had gedaan. De aardappelen die hij kookte leken op te lossen in het water. Voor brood waren ze afhankelijk van Bernat. Hij wist niet hoe zijn moeder aan het vlees voor stoofpotten was gekomen en een gevarieerde maaltijd op tafel kon zetten zonder dat er een winkel of leverancier in het dorp zat. Toen hij had geprobeerd linzen te koken, kiepte zijn vader het bord, vol met warm eten, leeg in de emmer met etensresten voor de kippen.

De kippen begonnen allengs minder eieren te leggen en de konijnen gingen een voor een dood. Miquel wist dat hij ze in de eerste tijd na zijn moeders verdwijning had verwaarloosd, maar ook al had hij snel een vast voederpatroon ingesteld, voor zowel de kippen als de konijnen, het ging niet goed met ze. Hij besteedde een hele dag aan het uitmesten van het kippenhok omdat hij ervan uitging dat ze door de opeenhoping van viezigheid minder eieren waren gaan leggen, maar toen hij overal tussen het vuil eierschalen vond, vroeg hij zich af of de kippen soms bezig waren hun zelfgelegde eieren op te eten. Hij wou maar dat er iemand in het dorp was bij wie hij te rade kon gaan, maar hij wist dat zijn vader al zou protesteren als hij dit probleem bij Bernat zou aankaarten.

Wanneer er een konijn doodging, vond hij het vreemd dat de andere konijnen heel tevreden bleven, dat ze zich heel normaal gedroegen, ook al lag er een van hen dood in hun hok, zijn lichaam helemaal stijf en nutteloos, zijn ogen starend naar een vaag, ver punt. Het beest was nu nergens goed meer voor, hij begroef het stilletjes achter de schuur. Hij wilde niet dat zijn vader wist dat hij nog andere moeilijkheden met het huishouden had dan de problemen die overduidelijk waren.

Na een tijdje leefden alleen de grote bruine konijnen nog; ze leken dikker en gezonder te worden naarmate er meer witte konijnen doodgingen. Miquel hield hun hokken schoon terwijl zijn vader totaal niet naar ze omkeek. Hij mocht tegenwoordig al van geluk spreken als hij 's ochtends één ei in het kippenhok vond. Zijn vader ging er zeker van uit, dacht hij, dat hij geen eieren kreeg voorgezet omdat ze hem de keel uithingen. Zijn vader vond niets lekker van wat hij at. Hij at tegenwoordig gerookte ham en brood, smeuïg gemaakt met tomaten en olie, niet op etenstijd, maar wanneer hij honger had. De broodkorsten at hij niet op, maar liet hij op tafel liggen zodat Miquel ze aan Clua kon geven.

Op een dag kwam hij de keuken in toen Miquel net bonen met worst zat te eten, voor hem achtergelaten door de vrouw van Bernat.

'Ik ga morgen naar La Seu', zei hij. 'Ik dacht maar eens wat konijnen en eieren mee te nemen voor de verkoop.'

Miquel keek zenuwachtig naar hem op.

'De konijnen gaan allemaal dood. Ik weet niet hoe ik ze in leven moet houden. De kippen zijn van de leg af.'

'Wat heb je dan met ze uitgevoerd?' vroeg zijn vader.

'Ik ben geen vrouw. Ik heb geen idee wat ik met ze moet doen.'

'Je bent geen goede huishoudster', zei zijn vader met een zacht, inwendig lachje. 'Wist je dat?'

‘Waarom zorg je dan zelf niet voor die beesten?’ vroeg Miquel.

‘Nee, dat ben ik niet van plan’, antwoordde zijn vader. ‘Dode konijnen! Is er iemand in het dorp die hiervan afweet?’

‘Nee.’

‘Mooi zo. En eieren hebben we ook niet?’

‘Er ligt er een in de kom op de plank.’

‘Die moeten we dan maar als aandenken bewaren.’

Miquel ging niet met zijn vader mee naar La Seu; de lucht was al twee dagen achtereen helder geweest, wat betekende dat de sneeuw voor een deel was gesmolten. Hij pakte zijn verrekijker en ging in de vroegte op pad met de bedoeling ruim voor twaalven in Santa Magdalena aan te komen en daarna te zien hoe ver hij over de legerweg kon komen; hij wist dat daar op sommige stukken nog een dikke laag sneeuw lag. Zodra hij in de zon liep, kreeg hij het warm, soms te warm, zodat hij zijn jas moest uittrekken. Een uur of zo sjokte hij over de smalle weg. De wetenschap dat hij verlost was van zijn vaders gezelschap en de lege, schaduwachtige kaalheid van het huis, waar elke hoek en elk oppervlak sporen van zijn moeders afwezigheid vertoonden, maakte hem bijna gelukkig. Zijn enige angst was dat hij uiteindelijk toch weer moest omkeren wanneer hij stuitte op de grenzen die door de opgewaaide sneeuw waren opgeworpen. Tot aan Santa Magdalena was de weg, zoals hij ontdekte, een stuk begaanbaarder dan mensen in het dorp hadden gezegd. Op sommige plekken was de dooi compleet en hij speurde ze met de verrekijker af voor het geval er iets te zien was. Hij begreep nu hoeveel pech zijn moeder had gehad met het uur dat ze had gekozen om haar wanhoopsvlucht te ondernemen en met de dag waarop ze was weggegaan. Was ze een uur eerder vertrokken, dan zou ze volgens hem veilig in Pallosa gearriveerd zijn, en was ze een uur later van huis weggegaan, dan zou ze niet verder zijn gekomen dan hier en zou ze hebben geweten dat ze moest omkeren. Ze was het slachtoffer, geloofde hij, van een volkomen verkeerd tijdstip en ze lag ergens onder een berg sneeuw op de hellingen onder de legerweg, die hij eveneens afspeurde, hoewel hij behalve boomstronken niets anders zag dan wit.

Het was vreemd, vond hij, dat er op de legerweg vrijwel geen sneeuw was gesmolten. Een groot deel ervan kreeg dezelfde hoeveelheid zonlicht als de weg waarop hij net had gelopen. Maar de legerweg stond bloot aan de wind, was steil in de berghelling uitgehouwen, zonder bomen of struikgewas aan weerszijden. Aangewaaide sneeuw, uit welke richting ook, zou in banken op de weg komen liggen, en die weg was een snel door buitenstaanders gemaakte groef in de aarde, zonder dat ook maar enigszins rekening was gehouden met het terrein of zonder te weten wat er in de winter zou gebeuren. Algauw reikte de sneeuw tot aan zijn knieën, en hij merkte dat het hem bij elke stap meer en meer moeite kostte om zich los te trekken.

Hij keerde om en ploeterde kilometerslang door de sneeuwbrij tot hij bij het dorp kwam. Hij wou maar dat zijn vader iets in huis leerde doen, al was het maar het vuur aansteken. Hij zou uit La Seu terugkomen, wist Miquel, met te veel of te weinig boodschappen, met kilo's vlees die ze niet goed konden houden of met net genoeg worstjes voor één maaltijd.

Zijn vader was niet thuis, wat verrassend was omdat hij 's ochtends vroeg was vertrokken en in La Seu niet veel te doen had. Misschien ging hij weer met de politie spreken, maar voor zover Miquel kon opmaken had dat geen enkele zin. Er was geen brood; hij bakte wat aardappelen en het ei dat zijn vader als aandenken wilde bewaren en hij legde een vuur aan. Wanneer hij tegenwoordig aan zijn moeder dacht, werd zijn stemming verhevigd door een schuldgevoel, een knagende aanwezigheid in zijn borst, die hij alleen kon laten verdwijnen door welbewust aan iets anders te denken, maar die makkelijk en ongemerkt kon terugkomen. Hij had er nu spijt van dat hij de afgelopen jaren nooit op een gewone dag zo, op deze manier, haar keuken was binnengelopen om te kijken hoe ze kookte of het vuur aanstak en haar zijn hulp aan te bieden of gezelschap te houden terwijl ze aan het werk was. Ook wist hij dat hij meer moed had moeten tonen op de dag voor haar verdwijning, hij had naar haar toe moeten gaan om te zeggen dat hij zelf zou vervangen wat zijn vader had weggegooid. Hij had zijn vader moeten dwingen, dacht hij, om haar niet alleen in een kamer te laten zitten, hunkerend naar alcohol. Hij wist dat hij haar vertrek had kunnen voorkomen als hij meer moed had gehad.

Het was al laat toen hij de jeep voor het huis hoorde stoppen. Hij had de hele avond in het vuur zitten kijken; de helft van de tijd droomde hij over weggaan, even plotseling vertrekken als zijn moeder, maar dan naar La Seu en daarna naar Lérida of Barcelona of nog verder weg, om zich hier nooit meer te vertonen. Zijn broer nooit meer zien zou een hoge prijs zijn voor de nieuwe vrijheid die hij zou krijgen, vond hij, maar misschien konden ze elkaar ergens anders ontmoeten, misschien zou Jordi ook vertrekken. En de rest van de tijd besteedde hij aan alle schuldgevoel dat zich aandiende, door de duisternis heen aangedragen op de wind, dat zijn geest wilde binnendringen terwijl hij nadacht, telkens weer, over zijn eigen verantwoordelijkheid voor haar verdwijning en haar dood.

Hij hoorde buiten stemmen en vond het vreemd dat zijn

vader iemand uit het dorp een lift had gegeven. Misschien was Bernat, met wie zijn vader met de dag beter leek te kunnen opschieten, mee teruggereden uit La Seu of ergens uit een ander dorp opgehaald. Terwijl hij voetstappen de brosse ijslaag op het pad voor het huis hoorde breken, bleef hij gewoon zitten. Als zijn vader hulp nodig had bij het leeghalen van de jeep, kon hij dat best komen vragen. Toen zijn vader de keuken inliep, lachte hij Miquel welwillend, hartelijk toe. Hij had tassen bij zich. Achter hem verscheen een bleke jonge man, van nog geen twintig, dacht hij. De jonge man was minder lang dan Miquel, maar zag er sterk uit. Ook hij had tassen bij zich. Miquel wist zeker dat hij hem nooit eerder had gezien. Hij keek Miquel vluchtig aan, maar zonder te glimlachen. Miquel richtte weer al zijn aandacht op het vuur, alsof hij alleen was; hij pakte twee houtblokken uit de mand en legde ze strategisch in de haard.

'We hebben honger', zei zijn vader. 'We hebben niet gegeten. Manolo hier zal het avondeten maken.'

Manolo keek naar Miquel, die zonder iets te zeggen achteloos in het vuur porde.

'Ik heb al gegeten,' zei Miquel, 'maar ik lust nog wel wat.'

Manolo's ogen waren donker, zijn haar gitzwart. Hij begon kastjes open te trekken en keek wat erin stond om daarna de spullen op te bergen uit de tassen waarmee ze uit de jeep waren gekomen.

Terwijl ze een avondmaal aten van worstjes, bonen en vers brood, werd duidelijk dat Miquels vader buren van zijn zwager uit Pallosa had ontmoet aan wie hij had uitgelegd in wat voor lastig parket hij zat. Hij had iemand nodig die het huishouden voor hen deed, zei hij, maar volgens hem was er niemand te vinden omdat ze geen aparte slaapkamer voor een meisje of vrouw hadden en er in de buurt geen enkele vrouw beschikbaar was. De mensen uit Pallosa hadden hem verteld dat Manolo, die een wees was, vrij was; hij werkte in de lente en zomer voor plaatselijke boerderijen en woonde daar ook, maar 's winters was er minder te doen. Niet alleen zou hij blij zijn met huishoudelijk werk, zeiden ze, waar hij heel goed in was, maar de mensen bij wie hij nu inwoonde zouden blij zijn dat ze een mond minder te voeden hadden. Miquels vader had besloten, zei hij, op stel en sprong naar Pallosa te rijden en op zoek te gaan naar Manolo en zijn baas, die er onmiddellijk in had toegestemd hem te laten gaan.

'En dus heb ik hem gelijk in de jeep geladen', zei zijn vader. 'Hij zegt dat hij kan koken en daar zullen we dan wel gauw achterkomen.'

Zijn vader lachte samenzweerderig naar Manolo, die niet reageerde, maar met een ernstig gezicht naar Miquel keek, voor wie het duidelijk was dat zijn vaders verslag over hoe hij Manolo had gevonden iets weg had van een verhaal over het kopen van een dier of een zak rijst. Miquel had het gevoel dat Manolo dat ook besefte en steeds verslagener ging kijken naarmate zijn vader, in opperbeste stemming, meer sprak.

Terwijl ze aan tafel zaten te eten, besefte Miquel dat hij zelf niet veel had gezegd en hij vroeg zich af of zijn zwijgen de nieuwkomer nog dieper in de put bracht.

'Mijn vader is een monster', zei hij. 'Je hebt een grote fout gemaakt door met hem mee te gaan.'

Zijn vader en hij begonnen te lachen, maar de jongen bleef stil en leek nog verdrietiger te worden naarmate zij harder lachten. Zodra ze uitgegeten waren, begon hij de tafel af te ruimen; hij zette een pan water op het vuur en begon de vaat op te stapelen, die al dagen niet meer was gedaan, zodat hij kon afwassen. Miquel ging terug naar zijn plaatsje bij de haard terwijl zijn vader aan tafel bleef zitten.

'Ligt er ergens beddengoed?' vroeg zijn vader.

Miquel haalde zijn schouders op. Ze hadden de bedden niet meer verschoond sinds zijn moeder was weggegaan. Hij wist niet of de lakens die in de kast lagen moesten worden uitgehangen voor de haard voordat ze werden gebruikt.

'Nou ja,' zei zijn vader, 'het matras op Jordi's bed is in elk geval goed gelucht.'

'Waarom leggen we dat niet in de voorraadkamer beneden?' vroeg Miquel.

'Het raam is kapot', zei zijn vader. 'Daar bevriest hij.'

'Ik wil hem niet bij mij op de kamer', zei Miquel.

Manolo, die met zijn rug naar hen toe stond, hield op met bewegen. Hij deed geen moeite om te verhelen dat hij luisterde.

'Vanavond slaapt hij daar', zei zijn vader. 'En ik zal hem wel laten zien waar de lakens en dekens liggen, dan kan hij zijn eigen bed opmaken.'

Miquel zuchtte en staarde in het vuur. Toen hij weer opkeek, was Manolo alweer verder gegaan met zijn bezigheden bij het fornuis en de gootsteen. Zonder Miquel aan te kijken liep hij door de kamer om de tafel af te ruimen. Op het moment dat Miquel naar zijn slaapkamer ging, had zijn vader Manolo al wegwijs gemaakt en hem geholpen lakens, dekens en een kussen naar de kamer te brengen; het leek er bijna te klein toen Miquel binnenkwam. Manolo vouwde elk van de dekens heel nauwgezet open en spreidde hem daarna heel precies over het bed uit. Hij draaide zich niet om toen Miquel binnenkwam, alleen toen de deur dichtging. Hij begroette hem niet, maar ging gewoon door terwijl Miquel naar hem stond te kijken en wachtte tot hij klaar was voordat hij zich uitkleedde.

Manolo rommelde in een klein koffertje terwijl Miquel in bed lag. Het was voor zover hij kon opmaken de enige bagage die Manolo bij zich had. Er paste nauwelijks een schoon stel kleren in. Toen Manolo zijn trui uittrok, zag Miquel dat de rug van zijn overhemd gescheurd was en dat de manchetten en kraag doorgesleten waren. Beneden had hij een geur geroken, als van iets rottends, die steeds sterker werd toen Manolo zijn schoenen uittrok. Pas toen Manolo zijn broek uitdeed en over een stoel legde, besefte Miquel dat de stank van de sokken van de jongen kwam, die hij nu bezig was uit te trekken. Hij legde ze op de vloer onder zijn bed en keek Miquel vragend aan of hij het licht uit mocht doen.

'Kun je je schoenen en sokken buiten op de gang laten?' vroeg Miquel.

Manolo knikte en liet uit niets blijken of hij dat vervelend vond. Toen hij zich boog om zijn sokken op te rapen en daarna door de kamer liep om zijn schoenen te pakken, besefte Miquel dat hij geen pyjama bij zich had en dat hij geen onderbroek droeg. Hij ging slapen in zijn oude overhemd. Toen hij zijn schoenen en sokken naar de gang had gebracht, draaide hij het licht uit en liep naar zijn bed. Terwijl ze daar in het donker lagen, zeiden ze geen van beiden iets. Miquel ging ervan uit dat Manolo snel in slaap viel.

Hij stelde zich voor dat hij nu naar Jordi schreef om hem het nieuws te vertellen. Onze moeder is verdwenen, ze is dood, ze ligt ergens omhuld door ijs, wanneer de dooi invalt zullen we de lucht moeten afspeuren naar gieren, zodat we haar kunnen vinden voordat zij dat doen. Je bed wordt beslapen door een donkere, zwijgzame, triest kijkende jongen die hier is aangekomen zonder veel kleren en die bereid lijkt te zijn vrouwenwerk te doen. Hij ligt nu vlak naast me, ik hoor zijn ademhaling, die licht en regelmatig is. Morgenochtend ga ik proberen een andere slaapplaats voor hem te regelen.

5

HIJ LIEP ELKE dag zo ver als hij kon komen; langs de legerweg begon de sneeuw al te smelten en sommige delen van de weg naar Santa Magdalena waren sneeuw- en ijsvrij. Hij liep elke dag op een andere tijd, afhankelijk van het werk dat hij thuis te doen had, maar vaak konden zijn vader en Manolo het wel zonder hem af. Zijn vader was inmiddels begonnen met stenen bikken voor Josep Bernat en was een deel van de dag van huis. Manolo werkte hard: hij kookte, deed de was, maakte schoon en hielp met de dieren als het nodig was.

Toen de dooi aanhield, kwam Miquels oom uit Pallosa en reed met zijn jeep over de weg uit het dorp helemaal naar Santa Magdalena en liep daarna met Miquel over de legerweg, die nu grotendeels begaanbaar was, ook al was het omringende land nog met een dikke laag sneeuw bedekt. Hij stapte verscheidene keren uit de jeep om met Miquels verrekijker het landschap af te speuren. Toen Miquel hem vertelde wat Bernat over de gieren had gezegd, was hij het daarmee eens. Ze zouden moeten afwachten, zei hij, en naar ze uitkijken, en hopen dat ze haar zouden vinden zodra de temperatuur steeg. Hij dacht niet, zei hij, dat zich al gieren boven Pallosa hadden vertoond en ook niet op plaatsen die hoger lagen dan Sort. Als hij ze zag rondcirkelen, zou hij weten dat het echt voorjaar was geworden.

Toen hij bij hen thuis tegenover Manolo kwam te staan, begroette Francesc hem met een hartelijke omhelzing. Miquel hield zich op een afstandje terwijl Manolo met een glimlach informeerde naar mensen en gebeurtenissen in

Pallosa; sinds hij bij hen in huis woonde was hij nog niet zo levendig geweest.

Buiten, voordat hij wegging, vertelde zijn oom hem dat Manolo's vader aan het eind van de oorlog was opgepakt en doodgeschoten toen zijn moeder nog in verwachting was. Zijn moeder had maar een jaar langer geleefd en was overleden aan tb, maar ook, dacht hij, door het verlies. Manolo was grootgebracht door een neef van zijn vader totdat hij kon werken en was toen in verschillende huizen in Pallosa terechtgekomen, waar hij soms slecht was behandeld. Het was een erg trieste geschiedenis, zei zijn oom, omdat Manolo's vader eigenlijk nauwelijks bij de oorlog betrokken was geweest, hij had gewoon pech gehad. Hij hoopte dat Manolo het hier beter naar zijn zin zou hebben dan op sommige andere adressen. Uit zijn manier van spreken maakte Miquel op dat zijn oom had gemerkt dat hij en Manolo niet bevriend waren geraakt. Die avond leek Manolo dankbaar en verrast toen Miquel hem wat van Jordi's kleren gaf, een paar overhemden en onderbroeken en een oud paar laarzen. Hij beloofde dat hij er zuinig op zou zijn.

Het weer verslechterde; er viel verse sneeuw, en twee dagen en nachten stond er een wind die de bovenste sneeuw omhoogjoeg en liet ronddwarrelen alsof het stof was. Miquels vader verdween naar de schuur van Bernat zodra Miquel en hij de dieren hadden verzorgd. Hij kwam terug voor het middageten en vertrok dan weer. Hij scheen plezier te hebben in zijn nieuwe werk; hij zat vol grapjes en was goedgeluimd wanneer hij aan tafel kwam zitten.

Op de dagen dat Miquel vanwege het weer buiten niet aan de slag kon, bleef hij in de keuken en probeerde een praatje aan te knopen met Manolo over waar hij had leren koken en hoe hij de kippen voerde, maar de antwoorden waren slechts beleefd en terughoudend. Het was duidelijk dat

Manolo geen zin had om te praten. Hij werkte rustig en liep met een ernstige, plichtsgetrouwe uitdrukking op zijn gezicht door het huis. Dankzij zijn goede zorgen kregen ze langzaamaan weer eieren van de kippen en werden ook de konijnen een stuk tieriger. Hoewel ze het hem vroegen, at hij niet met hen aan tafel, maar staande bij het fornuis, en hij begon meestal pas als zij klaar waren. En hoewel Miquel hem had gezegd dat het niet nodig was, bracht hij zijn schoenen en sokken elke avond naar de gang voordat hij het licht uitdeed. Hij zorgde ervoor dat Clua te eten kreeg, maar een aantal keren zag Miquel dat hij de hond verbood achter hem aan te lopen of blij tegen hem op te springen.

Miquels vader maakte er met Manolo grapjes over dat hij een geweldige echtgenote voor een man zou zijn; het enige wat Manolo nodig had was een rok, zei zijn vader, dan kon hij in de zomer alle festa's afgaan en zou hij in de herfst in het huwelijksbootje stappen. Manolo lachte niet wanneer dit grapje of een van de vele varianten erop werden gemaakt, maar ging door met wat hij aan het doen was. Geleidelijk werd het een thema waar Miquels vader op bleef voortborduren.

'Nou, we moesten maar eens een rok voor je kopen', zei hij dan. 'Je bent de beste huisvrouw van het hele land. Beter dan alle jonge meisjes van jouw leeftijd. Misschien hebben ze ons echt wel een meisje gestuurd. Misschien doe je maar alsof je een jongen bent.'

Op een dag, toen deze opmerkingen tijdens het eten meer dan eens waren gemaakt en als pesterijen begonnen te klinken, kwam Manolo naar de tafel en ging voor Miquels vader staan.

'Als u dat nog een keer zegt, stap ik op.'

Zijn vader schoof zijn stoel achteruit en keek op naar Manolo, die nu veel bleker was dan normaal.

'Het was niet mijn bedoeling...' begon zijn vader.
'Ik weet wat uw bedoeling was', zei Manolo. 'En als u het nog eens zegt, stap ik op.'
'Het was niet mijn bedoeling je te beledigen.'
'Zeg het dan ook niet meer.'
'Nou, je hebt wel praatjes gekregen', zei Miquels vader.
Manolo ging terug naar het fornuis en hield zijn rug naar hen toegekeerd. Miquel zag zijn vader slag leveren met zijn eigen gezicht terwijl hij een manier probeerde te verzinnen om alles met een grapje af te doen, maar tegelijkertijd besefte, zo leek het Miquel, dat Manolo hem de pas had afgesneden.
'Heb je het hier niet naar je zin?' vroeg zijn vader aan Manolo, die zich niet omdraaide en ook niets zei.
'Ik vraag je iets', zei zijn vader.
'Hou op met zeggen dat ik een meisje ben', zei Manolo zonder zich om te draaien.
'Ik heb nooit echt gezegd dat je een meisje was. Wanneer heb ik gezegd dat je een meisje was? Wanneer heb ik dat dan gezegd?' vroeg zijn vader.
Manolo reageerde niet.
'Ben je soms doof?' vroeg zijn vader. 'Wanneer heb ik gezegd dat je een meisje was?'
Miquel zag dat Manolo's schouders zich kromden alsof hij op het punt stond in tranen uit te barsten. Omdat hij zich zo machteloos voelde, omdat hij geen manier zag om tussenbeide te komen, moest hij terugdenken aan de aanvaring op de dag voordat zijn moeder was weggegaan. Toen zijn vader opstond, besefte hij dat hij niet kon toelaten dat deze wredere versie van die eerdere gebeurtenis zou voortduren.
'Laat hem met rust', zei hij tegen zijn vader, 'en blijf zitten!'

Zijn vader, wist hij, zou geen idee hebben hoe hij zich nu een houding moest geven. Miquel had op het punt gestaan eraan toe te voegen dat zijn vader al genoeg problemen in huis had veroorzaakt, maar was blij dat hij zich had ingehouden. Zijn vader stond naar de vloer te staren, terwijl Manolo door de keuken liep om borden af te ruimen alsof er niets gebeurd was. Miquel verroerde zich niet en zorgde ervoor dat zijn vader hem niet eens kon horen ademhalen. Hij probeerde niets te doen. Ten slotte liep zijn vader de keuken uit, nadat hij eerst een lange zucht had geslaakt, en ging terug naar zijn werk bij Bernat. Miquel glimlachte naar Manolo toen die terugkwam naar de tafel. De uitwerking van het lachje dat hij op zijn beurt van Manolo kreeg was des te groter omdat het half tersluiks was en snel verdween.

Die avond zei Manolo in de slaapkamer voor het eerst uit zichzelf iets tegen Miquel. Nadat hij zijn schoenen en sokken naar de gang had gebracht, deed hij het licht uit, liep de kamer door en stapte in bed.

'Het zal vast niet altijd zo blijven waaien', zei hij.

'Het wordt met de dag erger', zei Miquel.

'Je huilt 's nachts vaak', zei Manolo. 'Het is niet hard of zo, maar soms hoor ik je.'

'Ik wist niet dat ik dat deed', zei Miquel.

'Heb je last van nachtmerries?' vroeg Manolo hem.

'Niet echt. Ik droom vaak dat mijn broer hier is en dat we een stuk jonger zijn.'

'Je schreeuwt niet, maar je huilt, al is het niet lang', zei Manolo.

'Ik zal proberen stil te blijven.'

'Geeft niet.'

Ze raakten aan de praat over de verdwijning van Miquels moeder en hoe ze kon worden gevonden. Manolo sprak met gedempte stem en leek alles heel zorgvuldig te overwegen. Miquel vertelde dat Jordi nog niets afwist van haar verdwijning. Ze hadden een brief van hem gekregen waarin stond dat hij in Valladolid was, waarop zijn vader had teruggeschreven dat er geen nieuws was. Toen Manolo niet reageerde, wist Miquel dat hij niet sliep, maar nadacht over wat hem zojuist was verteld.

'Je vader heeft het mis', zei hij ten slotte.

'Ik weet het', zei Miquel, 'maar ik kan Jordi niet zelf schrijven om het hem te vertellen. Dat is mijn taak niet. Hoe kan ik hem nou in een brief vertellen wat er gebeurd is?'

Manolo zei niets; uit het karakter van zijn stilte kon Miquel opmaken dat hij een duidelijk oordeel had geveld. Zonder iets te zeggen lagen ze daar, totdat Miquel wist dat Manolo in slaap was gevallen.

Hij sliep zelf een poos en werd toen wakker omdat het zo waaide. Door de woeste, gierende dreiging leek het alsof de wind van plan was het huis van zijn fundering te tillen, het dak eraf te blazen of door de vensters heen te breken en als een razende door alle kamers te wervelen en de slapenden achter zich aan uit bed te sleuren. Hij luisterde naar het gehuil van de wind en naar het gelijkmatige ritme van Manolo's ademhaling en wist dat hij niet meer in slaap zou vallen. Na korte tijd begon een van de schuurdeuren te bonken; hij kon uit het geluid afleiden welke het was en wist dat hij er al eerder keien tegenaan had moeten leggen om ervoor te zorgen dat hij dichtbleef. In het donker zocht hij zijn kleren en ging naar beneden om zich aan te kleden, zodat hij Manolo niet zou storen. Zijn laarzen stonden in het halletje.

Het sneeuwde weer; de vlokken werden door de wind alle kanten op gezwiept. Hij hield zijn handen voor zijn ogen om niet meer door de wind te worden verblind. Aan zijn zaklantaarn had hij niets. Voetje voor voetje liep hij naar beneden over de harde ijslaag, waarop zich een vers sneeuwdek had gevormd. De deur stond nog steeds te bonken. Hij vond de keien die hij al eerder had gebruikt en legde ze op hun plaats, zodat de deur stevig dichtbleef, en toen liep hij terug naar het huis.

6

IN DE DAGEN daarop scheen de zon, maar het bleef nog wel waaien. Zonder op problemen te stuiten vervolgde Miquel zijn oude route naar Santa Magdalena en probeerde daarna een eind de legerweg op te gaan, waar de sneeuw lag opgewaaid in al zijn nieuwe contouren. Toen hij op een van die dagen terugkeerde naar het dorp, met nog ongeveer een half uur te gaan, zag hij Manolo op zich af komen; hij had brood en ham en wat koekjes voor hem meegenomen. Het verbaasde Miquel dat hij zich de rest van de tocht zo anders voelde, zo licht, zo blij dat Manolo op het idee was gekomen hem tegemoet te lopen. Toen hij de volgende dag op pad ging, vroeg hij Manolo of hij hem weer tegemoet zou komen en Manolo zei dat hij dat zou doen. Hij was het al van plan, zei hij. Miquel merkte dat dit beeld van Manolo die deze woorden zei, staand voor het fornuis, hem onder het lopen meer bijbleef dan gedachten over zijn vader of Jordi of de plaats waar het lichaam van zijn moeder misschien ontdekt zou worden.

Zijn vader verdiende geld door bij Bernat te werken en er werd nu alleen nog maar gesproken over het uitbreiden van de steenhouwerij. Hij betaalde Manolo tegenwoordig elke week een klein geldbedrag en dat leek hem wat opgewekter te maken wanneer hij in de keuken zat, terwijl het voor Manolo geen zichtbaar verschil uitmaakte. Toen Manolo al een maand in huis was, kondigde Miquels vader op een zaterdagavond aan dat het badavond was. Zijn gezin, zo vertelde hij Manolo, verschilde van alle andere gezinnen in het dorp, zoals ook van de dieren des velds, omdat ze regelmatig in bad gingen, normaal gesproken eens in de twee weken, maar door wat er hier in huis was gebeurd hadden ze nagelaten hun wasritueel uit te voeren, een verzuim dat hij nu wilde goedmaken.

Zijn vader liet Manolo zien waar de blinkende zinken badkuip met de hoge achterkant stond en samen tilden ze hem de keuken in. Hij zette uiteen dat het Manolo's taak was de grote ketel en twee van de pannen met water te vullen en aan de kook te brengen en daar koud water door te mengen. Dat zou genoeg zijn voor zijn bad. Daarna moest Manolo nog meer water aan de kook brengen, zei hij, en wanneer het eerste bad was genomen, kon een deel van het water worden weggedaan en vervangen door nog meer schoon heet water voor Miquel en later voor Manolo. En na afloop, verklaarde zijn vader, die zich onder het spreken kostelijk leek te vermaken, kon het water naar buiten gegooid worden zodat de hond het kon opdrinken. En ieder van hen zou ook schone kleren en schoon ondergoed nodig hebben, ging hij verder, dan konden ze dat aantrekken wanneer het badderen achter de rug was.

Miquel keek ervan op dat zijn vader Manolo liet meebaden. Vroeger hadden Jordi en hij het water gekookt en het water vervangen, terwijl hun moeder uit de kamer was weggebleven. Ten slotte hadden ze dan water voor haar opgezet, een nieuw bad voor haar gevuld en haar speciale zeep en spons samen met een speciale handdoek op de stoel klaargelegd, voordat hun vader en zij naar boven waren gegaan zodat ze volledig ongehinderd een bad kon nemen.

Manolo hing drie handdoeken op een rekje voor het loeiende vuur; hij trok de luiken dicht en toen het water in de pannen begon te koken, goot hij het in het bad en vulde de pannen opnieuw. Toen de grote ketel kookte en zijn vader zich begon uit te kleden, ging Miquel de kamer uit. Dat had hij altijd gedaan, zijn vader zoveel mogelijk privacy geven.

Het was vreemd, vond hij, dat Manolo daar bij zijn naakte vader bleef, hem van dienst was, maar Manolo verstond de kunst om alles in goede banen te leiden, wist hij, ervoor te zorgen dat hij niemand ooit reden tot klagen gaf.

Toen hij terugkwam in de keuken, zei zijn vader tegen hem dat hij bijna klaar was. Algauw kwam hij overeind in bad en wachtte tot Manolo hem de handdoek bracht. Miquel had zijn vader nooit eerder op deze manier gezien; zijn lange benen zagen er veel sterker uit dan hij zich had voorgesteld, zijn vlezige penis en de balzak eronder groter en reëler. Zijn vader stond zich bij het licht van het vuur af te drogen alsof hij te bezichtigen was, terwijl Manolo redderend om hem heen liep. Hij legde een mat onder zijn voeten, deed wat droog, dun hout op het vuur en begon Miquels bad klaar te maken.

Toen zijn vader de kamer verliet, kleedde Miquel zich uit tot op zijn onderbroek, testte de temperatuur van het water en schoot daarna snel uit zijn onderbroek en ging in het warme bad zitten, water dat voor de helft schoon was en voor de andere helft door zijn vader was gebruikt. Voordat Jordi wegging deden ze samen altijd voor de grap alsof hun vader in het water had gepist en dat Miquel er ook in ging pissen of het net gedaan had, zodat Jordi in een flinke portie familie-urine moest zitten weken. Jordi deed dan altijd alsof hij griezelde en eiste een vol bad met heet, schoon water, maar kreeg van Miquel te horen dat dat onmogelijk zou zijn aangezien hij de jongste was.

Miquel dacht niet dat Manolo dit grappig zou vinden. Hij begon zich te wassen terwijl Manolo nieuw water voor zijn eigen bad opzette. Hij had gemerkt dat Manolo naar hem keek toen hij zich in het water liet zakken. Terwijl Miquel zich waste, bleef Manolo in de buurt van het bad. Ze hoorden Miquels vader rondscharrelen in de kamer boven. Miquel wist dat hij niet in de keuken zou terugkomen voordat het badderen was afgelopen.

Toen hij overeind kwam in het water, liep Manolo met de warme handdoek op hem af. Miquel stond rillend met zijn gezicht naar het vuur terwijl Manolo flink wrijvend zijn rug, nek en bovenlichaam afdroogde en hem toen de handdoek aanreikte zodat Miquel zich verder kon afdrogen.

Manolo's eigen water was nu heet; hij schepte wat van het gebruikte water weg en vulde het bad vervolgens bij met vers water uit de pannen en de grote ketel. Terwijl Miquel zich zat aan te kleden, keek hij hoe Manolo met zijn rug naar hem toe al zijn kleren uittrok en zich pas naar hem omdraaide toen hij naakt was. Zijn schouders waren veel breder dan Miquel ooit in de slaapkamer was opgevallen, zijn schouder- en rugspieren meer ontwikkeld, zijn bovenlichaam en billen volkomen onbehaard, maar zijn dikke, korte benen overdekt met donker haar. Hij liep langzaam, bijna sierlijk, op het bad af en het leek hem geenszins te ontgaan dat Miquels ogen op hem gericht waren.

7

ZIJN VADER REED nu elke dag met Josep Bernat mee, zodat Miquel tegen Manolo zei dat hij hem best wat eerder tegemoet kon komen als hij dat wilde, als hij tijd had, dan hoefde Miquel ook niet het hele eind in zijn eentje terug te lopen. Hij zei ook dat hij eten voor zichzelf en een fles water moest meenemen, dan konden ze een zonnig plekje zoeken om daar samen te eten. 's Avonds verheugde hij zich er nu op naar de slaapkamer te gaan en alleen te zijn met Manolo en een poosje met hem te praten voordat ze gingen slapen.

Toen ze op een van die dagen terugliepen en bekeken hoe de sneeuw richels en wallen had gevormd, hoorden ze dat er in het bos boven Santa Magdalena schoten werden gelost. De schoten, die elkaar snel opvolgden, weerkaatsten tegen de bergen in de verte, zodat het onmogelijk was precies vast te stellen waar ze vandaan waren gekomen. Miquel herinnerde zich een jeep vol mannen, onder wie Foix en Castellet, die hem eerder op de weg was voorbijgereden, en hij had hun lege jeep met aanhangwagen geparkeerd zien staan bij de kluizenaarshut in Santa Magdalena zelf.

De schoten leken alles te verstoren; de vogels vlogen alle kanten op, en alles wat leefde, wist hij, zou in angst en paniek een goed heenkomen zoeken. Manolo en hij bleven staan luisteren toen er nog meer schoten klonken, vier of vijf dit keer. Ineens moest hij zijn tranen terugdringen. Het kon best zijn dat die mannen aan het jagen waren op de plek waar zijn moeder was doodgegaan. Ze kon best daar op die plek van haar route zijn afgedwaald, omdat ze een deken van wit had aangezien voor de weg vooruit. Miquel wilde niet dat zij haar zouden vinden, dat hun honden aan haar zouden ruiken en likken. Toen er nog meer schoten klonken, versnelde hij zijn pas terwijl Manolo onwillig achter hem aan liep. Toen Manolo hem vroeg waarom hij was omgekeerd en hun kant op liep, gaf Miquel geen antwoord. Heel even had hij voor zich gezien dat ze nog leefde en hier doodsbang voor hen wegrende, panisch aan de kogels probeerde te ontkomen. Terwijl ze omhoogliepen over de hellingen achter de kerk, hoorden ze geschreeuw, het blaffen van de honden en nog drie schoten uit hetzelfde geweer, met een korte, resolute pauze tussen elk ervan. Toen ze een schril gekrijs en daarna een schreeuw hoorden, gebaarde Miquel naar Manolo dat hij moest voortmaken, maar door een plotselinge uitroep bleven ze staan.

'Hé, jullie daar!' Het was de stem van Foix. 'Maak dat je daar wegkomt! Wil je soms een kogel in je lijf?'

'Wat doen jullie hier?' riep Miquel terug. 'Waarom gaan jullie niet ergens anders jagen?'

'We schieten wilde zwijnen af, dat is mannenwerk. Jij en dat kleine koksmaatje zullen het berouwen als je niet teruggaat naar de weg.'

Manolo trok aan Miquels jack als teken dat hij moest meekomen. Langzaam daalden ze af door de sneeuw, maar het lopen ging nu met een moeizaamheid waar Miquel niets van had gemerkt toen ze bij het omhooggaan op ijs onder de sneeuw waren gestuit. Toch maakten ze zich zo snel mogelijk uit de voeten.

Ze liepen zonder iets te zeggen terug, Manolo met zijn hand op Miquels schouder. Er vielen geen schoten meer. Na enige tijd hoorden ze de jeep aankomen en gingen ze aan de kant staan. Toen hij langzaam naderbij reed, zagen ze dat de mannen in de jeep een vreemde, schuldige, opgewonden blik in hun ogen hadden. Ze minderden vaart toen ze voorbijkwamen en Miquel kon de onverholen opwinding op hun gezichten zien. Op de aanhanger lagen dicht tegen elkaar aan vier wilde zwijnen waar bloed uit droop, zwaar van de dood, daar neergegooid, weldoorvoede, krachtige, wroetende wezens, kortgeleden nog de machtigste dieren in de koude, donkere wereld, maar nu geheel onttroond – kraakbeen, vlees en botten en dode starende ogen. Uit de aanhanger waarop ze lagen lekte druppelsgewijs bloed op de sneeuw, en toen de aanhanger een kleine schuiver maakte, in een klein compact rood plasje.

Onder het lopen begon Miquel te snikken en hij liet zich door Manolo vasthouden en troosten. Voor het eerst in lange tijd voelde hij de schrijnende zekerheid van zijn moeders verdwijning; de gedachte dat ze niet meer in leven zou zijn als ze werd gevonden drong zich genadeloos aan hem op. Ze zou niet bij hen terugkomen. Haar vinden zou niets betekenen, ging het door hem heen; haar zoeken was zinloos. Na een poosje hield hij op met huilen, maar bleef dicht bij Manolo, die soms achteloos tegen hem aankwam terwijl ze door de sneeuwbrij en de modder over de weg liepen.

'Je hebt eigenlijk best geluk gehad', zei Manolo tegen hem.

Miquel reageerde niet.

'Je hebt eigenlijk best geluk gehad dat het je nu al is overkomen, de dood van je moeder, dat het niet nog eens kan gebeuren.'

'Ik wou dat ze nog leefde en thuis was', zei Miquel.

'Ja, maar je zou altijd bang zijn dat deze slag, haar dood, zou komen; nu ben je ervan verlost. Het is gebeurd. Het kan niet nog eens gebeuren.'

'Zo moet je niet praten', zei Miquel.

'In het laatste huis waar ik was', zei Manolo, 'ging de oude man dood en al zijn kinderen kwamen, sommigen waren zelf ook al oud. En ook al was hij oud en had hij al heel lang op sterven gelegen, ze hebben allemaal dagenlang gehuild. Weken later zat de vrouw van dat huis nóg te huilen. En als haar zus kwam huilden ze samen, en als haar broer kwam werd er nog meer gehuild. Ik wist dat ik om niemand meer zou huilen. Er kan niemand overlijden om wiens dood ik tranen zou vergieten. Niemand. En daar ben ik blij om en dat zal nooit veranderen. Mijn ouders zijn overleden toen ik nog heel klein was, mijn vader zelfs voordat ik werd geboren. Ik heb geen enkele herinnering aan ze. Ik heb geen broers of zusters, en voor mijn ooms en hun kinderen voel ik niets. Als ik mensen zie met iemand waarmee ze een band hebben, heb ik altijd medelijden met ze. Je bent beter af als je dat niet hebt. Jij mag nu van geluk spreken dat ze je niet nog eens kan worden ontnomen.'

Miquel keek om zich heen en besefte dat hij Manolo op deze verlaten weg in zijn armen kon sluiten zo lang als hij wilde en dat hij hem daarbij zo dicht tegen zich aan kon drukken als hij wenste. Hij sloeg zijn armen om hem heen en voelde zijn warmte toen hij zijn handen onder zijn jack liet glijden. Hij voelde dat Manolo's overhemd klam van het zweet was en ook voelde hij het bonken van zijn hart. Hij sjorde aan het overhemd en legde zijn handen toen op de warme huid van Manolo's rug. Manolo boog zich naar hem toe zodat hun lichamen contact maakten en hij drukte zijn hoofd tegen Miquels schouder, maar hij hield zijn handen langs zijn zij alsof het stenen waren.

8

TOEN MANOLO DE volgende ochtend de luiken opentrok, zag Miquel dat de lucht blauw was en dat de ochtendzon al zo'n kracht had dat de ijspegels die aan de dakrand hingen begonnen te druppelen en af te breken. In de keuken zat Josep Bernat met stelligheid tegen zijn vader te beweren dat het weer was omgeslagen, dat het waas boven de verre bergen inhield dat de echte dooi had ingezet. Onder het lopen klonk die dag voortdurend het geluid van ijs dat brak en losliet, sneeuw die smolt en weggleed en water dat door gootjes langs de weg stroomde. Door de verrekijker zag hij dat er van het witte sneeuwvlak weinig meer overbleef dan hier en daar een plek in de verte.

De volgende dag kwam zijn oom uit Pallosa om te zeggen dat de sneeuw op de hellingen tussen het dorp en Coll del So was gaan smelten. In de dorpen, zei hij, keken ze allemaal of ze al gieren zagen; wanneer het overdag wat beter werd, zouden die vast en zeker naar Coll del So trekken, een stuk hoger. Als de gieren verschenen, gingen de dorpelingen er meteen achteraan, zei hij, en Miquel en zijn vader en hun buren moesten hetzelfde doen. Het zou nu niet lang meer duren, zei hij, voordat de sneeuw en het ijs waaronder haar lichaam lag zouden verdwijnen. Hij zou haar graag eerder vinden dan de wilde zwijnen, de wilde honden en de gieren, zei hij, maar de gieren zouden het eerst komen opdagen. Ze moesten goed uitkijken naar gieren.

De legerweg was na een paar dagen met een hogere temperatuur voor het grootste deel begaanbaar. Miquel werd heen en weer geslingerd tussen het vurige, hem bij het vallen van het donker bekruipende verlangen om haar terug te krijgen, in welke gedaante dan ook, en het besef dat de tijd waarin ze vermist was bijna was afgelopen, dat de sneeuw zijn moeder zou prijsgeven. Hij dacht aan haar gezicht; hij hoopte dat hij het zou terugzien zoals het was, alsof ze lag te slapen of voor het keukenraam zat. Onder het lopen bedacht hij hoe graag hij haar glimlach zou zien.

Hij kon nu uren achtereen lopen zonder dat hij in zijn voortgang werd belemmerd door opeengepakte sneeuw en ijs, en dwong zichzelf door te zetten wanneer hij moe was, want hij wist dat hij nergens meer kon uitrusten als hij eenmaal voorbij Santa Magdalena was. Wanneer hij hele einden had gelopen, merkte hij dat zijn gedachten vol levendige beelden en gebeurtenissen waren, alsof de lucht zelf een middel was waardoor oppervlakkige fantasieën toch iets volkomen echts kregen. In deze verwarrende betovering liet hij zichzelf momenten beleven waarin hij niet zichzelf was, hij was niet Miquel, hij was iemand anders en toch kwam ze op hem aflopen, zich versuft afvragend wat er met haar gebeurd was in al die tijd dat ze lag te slapen. Ze slaakte een kreet en herkende hem onmiddellijk, niet als haar zoon die naar haar zocht, maar als haar eigen vader van toen ze een klein meisje was, haar vader die naar haar kwam zoeken. Ze holde op hem af en wachtte tot ze werd opgetild, hij kuste haar en tilde haar op, het meisje dat verdwaald was, met haar kleine handschoentjes die haar handen warm hielden, haar oude groene jas met de bontkraag, haar sneeuwhoed. Alleen haar gezicht was ijskoud, haar ogen traanden van de kou, ze probeerde te glimlachen, ook al klapperden haar tanden.

Hij zou haar meenemen naar het oude huis in Pallosa, naar het zoekteam dat juichte omdat ze was gevonden, naar haar broer die op haar wachtte, naar de warme haard en het oude gerieflijke bed. Op een keer begon hij te fantaseren dat Manolo er ook bij was, bleek en bezorgd; hij had een schort voor en maakte iets warms om te drinken. Maar op een of andere manier klopte dat beeld niet. In deze gebeurtenis was voor Manolo geen plaats.

Aan het eind van de ochtend verschenen de eerste gieren in de koude blauwe lucht, een week nadat de dooi had ingezet. Miquel was al onderweg. Zwart en in zweefvlucht verschenen ze boven een stuk grond dat hoger lag dan Pallosa maar lager dan de legerweg, precies waar hij en zijn vader en alle anderen al veronderstelden dat zijn moeder zou liggen. Terwijl hij ze door zijn verrekijker aandachtig bekeek, vroeg hij zich af of hij naar het dorp moest lopen om zijn vader te zoeken, van wie hij wist dat hij dicht in de buurt was, en met de jeep weer deze kant op te komen, maar hij ging ervan uit dat zijn vader of iemand anders in het dorp de roofvogels al in de gaten had gekregen en onmiddellijk op pad was gegaan. Ook vertrouwde hij erop dat zijn oom ze al had gezien. Hij was het eens met de stellige opvatting van zijn oom dat de mensen die van haar hadden gehouden haar als eersten moesten zien te vinden.

Hij liep verder en bleef op gezette tijden staan om ze door zijn verrekijker te bestuderen. Er hingen twee vogels hoog in de lucht, roerloos. Hij wist niet precies hoe gieren te werk gingen, maar het leek hem dat ze met meer dan twee moesten zijn voordat ze neerstreken. Hij had geen idee hoelang ze erover deden om bijeen te komen zodra er een dode prooi was waargenomen. Hij hoopte dat het een tijdje zou duren omdat hij niet genoodzaakt wilde zijn ze in zijn eentje op een afstand te houden; hij wist niet hoe hij ze zou kunnen verjagen als er meer kwamen opdagen.

Algauw bespeurde hij nog een gier boven Coll del So; hij wist dat het beest van kilometers ver te zien was. De hemel was helderblauw, zonder ook maar ergens een wolkje; er bewoog zich verder niets in de lucht, ook geen andere vogels. Toen een van de gieren een daling inzette, versnelde Miquel zijn pas en hij vroeg zich af of hij niet een tak van een boom moest snijden om naar ze kunnen te slaan. Hij schatte dat het zijn oom minstens een uur zou kosten om de hellingen te beklimmen waarboven de vogels zich hadden samengetrokken. Zijn vader kon zich sneller verplaatsen, als hij tenminste met de jeep ging. Hij was nu bang dat hij in zijn eentje op die plek zou aankomen. De lugubere, stille, hongerige schepsels, genadeloos in de hoge lucht, zouden bepaald niet bang voor hem zijn. Ze zouden doen wat de natuur hun ingaf, ongeacht wat Miquel deed. Hij was vast niet tegen ze opgewassen; het enige wat hij kon doen was snel afgaan op de plek waar zij nu boven vlogen. Met eigen ogen zien waar ze neerstreken zou hoe dan ook beter zijn dan nu rechtsomkeert maken, haar weerloos en hulpeloos aan hun snavels en klauwen overlaten.

Er zeilden er nog twee door de stralende lucht. Hij bleef staan en hield ze met de verrekijker in beeld. Hij keek naar hun omvang en hun uitgesproken lelijke kleur en vorm; nu waren het er vijf. Hij wist niet of het er genoeg zouden zijn voor het etensritueel dat in hun duistere aard was ingebouwd, en ook niet op welk moment ze zouden toeslaan.

Misschien, dacht hij, zou het moment waarop ze neerstreken wat grilliger gekozen worden, luier, minder stipt. Hij had ze door de jaren heen wel zien samentroepen, maar hij had ze nooit zien eten; ze bleven uit de buurt van de dorpen en met een gezonde kudde schapen lieten ze zich niet in. Hij wou dat hij meer van ze afwist, hoe hij ze moest afschrikken of hoelang ze nodig hadden.

Toen zijn vaders jeep op hem af reed, waren er al twee van

de gieren geland en vlogen de andere, nu zo'n vijf of zes, al wat lager. Zijn vader, wiens gezicht verstard was van angst en woede, een en al daadkracht, had Josep Bernat naast zich in de auto, met Manolo achterin. Hij gaf Miquel amper de tijd om in te stappen. Hij zag dat Bernat twee geweren op zijn schoot had liggen. Zijn vader reed ongenadig hard door naar de vogels.

Hij wist over de ogen, dat ze je ogen het eerst uitpikten, en hij ging ervan uit dat ze dat al hadden gedaan; misschien was de sterkste of de snelste met die eer gaan strijken. Het kon niet veel tijd kosten om iemands ogen eruit te trekken. Er zou geen bloed zijn, hij veronderstelde dat haar bloed zou zijn gestold of weggevloeid. Ook veronderstelde hij dat ze eerst aan de zachtere plekken van haar lichaam zouden beginnen, om haar hoofd, armen en benen voor het laatst te bewaren. Hij deed zijn uiterste best niet te huilen toen de jeep met een ruk tot stilstand kwam en ze uitstapten en zo goed en kwaad als het ging over de helling naar beneden holden.

Iets lager had je een vlak stuk grond, zonder struiken, en daar hadden de vogels zich verzameld. Miquel kon niet geloven dat zijn moeder hier was terechtgekomen, op een zo open plek had ze nooit kunnen vallen, dacht hij, en trouwens, de passen waarover je in Pallosa kwam lagen een eind verderop. Hij stak zijn vader de kijker toe en nadat Bernat er ook door had gekeken, pakte hij hem zelf en begon het tafereel te bestuderen. De vogels hadden zich nog niet in alle rust rond hun prooi geschaard. Het waren grote fladderende beesten; ze zagen er smerig uit en botsten tegen elkaar op alsof ze blind waren. Toen kozen ze een vaste plek en begonnen te pikken, elkaar opzijduwend. Terwijl zijn vader en Bernat langzaam naar voren liepen en Manolo bij hem bleef staan, keek hij als verlamd naar het door de verrekijker uitvergrote tafereel. De gieren deden zich tegoed aan een hele berg ingewanden. Ze gristen een stuk weg, vraten gulzig en genietend, en drongen zich terug voor een nieuwe portie. Hij stelde scherp op een van de gieren, die zich stevig met zijn klauw afzette om met zijn snavel het vlees beter van haar lichaam te kunnen losscheuren. Met een kreet liet hij de verrekijker vallen en rende op zijn vader en Bernat af, terwijl Manolo achter hem aan kwam.

Toen ze dicht in de buurt kwamen, maakten de gieren zich uit de voeten, maar met hun nijdige gefladder hadden ze een smerige lucht achtergelaten. Die lucht was zuur en vreselijk, vond hij, maar het was niet de lucht van rottend vlees, maar de stank van iets wat leefde. Het was de stank van obscene energie, van de vogels zelf, hun penetrante geur die ontstond, dacht hij, doordat ze iets verteerden wat rot en dood was.

Miquel moest bijna lachen toen hij zag waar ze omheen hadden gezeten. Hij was erop voorbereid geweest de naar buiten gestroomde ingewanden van zijn moeder te zien, als bij een oud en afgedankt dier, en hij was bereid geweest haar te beschermen zo goed als hij kon. De gieren waren hier helemaal naartoe gekomen, zag hij, niet om daar zijn moeder te vinden, maar om een grote hond, een jachthond leek het wel, tot op het bot schoon te pikken. Ze moesten een hongerige winter achter de rug hebben, dacht hij, en hij deed een stapje achteruit.

Toen een van de gieren brutaal over hen heen vloog, zag Miquel zijn vader het geweer omhoogbrengen. Vanaf deze korte afstand vuurde zijn vader één schot uit het geweer op de vogel af, de vogel met de schilferigste vleugels en de meest furieuze energie; door de kracht van de inslag viel hij tuimelend naar beneden, terwijl de andere gieren opvlogen of met hun logge vleugels fladderden en nijdig naar achteren wipten.

De gewonde vogel, die bijna ondersteboven lag, begon te krijsen, probeerde overeind te komen en viel achterover. Opeens slaagde het dier erin zijn kop op te tillen, die fel en ongeknakt was, springlevend; zijn ogen waren verontwaardigd en scherp, en zijn neusgaten in de vervaarlijke snavel spuwden bijna vuur. De gier zag hen, en Miquel werd overweldigd door al zijn naargeestige haat jegens hen, zijn woeste blik, zijn hevige paniek, alsof dat alles op hem gericht was, op hem alleen, alsof zijn geheime geest al zijn hele leven op een dergelijke herkenning wachtte. De stervende vogel had niets menselijks in zijn ellende en verwondingen en krijste nog steeds van de pijn. Miquel wist niet waarom hij langzaam op het beest begon af te lopen, maar hij merkte algauw dat hij van achteren werd vastgehouden door Manolo, die hem ervan weerhield verder te gaan terwijl zijn vader het geweer nog eens ophief. Miquel leunde achterover naar Manolo om zijn warmte te zoeken, iets van bittere troost te vinden toen het volgende schot weerklonk. Manolo hield hem stevig vast om ervoor te zorgen dat hij wegbleef bij de stervende vogel en het karkas, nu half uit elkaar gereten en voor niemand meer van enig nut.

Verantwoording

Een lange winter verscheen voor het eerst bij de Tuskar Rock Press, in een beperkte oplage.

Ik ben dank verschuldigd aan Angela Rohan voor haar zorgvuldige werkzaamheden aan het manuscript, aan mijn agent Peter Straus, aan mijn redacteuren Andrew Kidd bij Picador in Londen en Nan Graham bij Scribner in New York, aan Catriona Crowe, John S. Doyle, Jordi Casellas en Edward Mulhall.

Een deel van dit boek werd geschreven in de Santa Maddalena Foundation in de omgeving van Florence. Ik wil Beatrice Monti graag bedanken voor haar hartelijke gastvrijheid daar.

Colm Tóibín bij De Geus

Het lichtschip van Blackwater

Declan Breen heeft aids. Omdat het bergafwaarts met hem gaat, besluit hij zijn familie in te lichten, als eerste zijn zus Helen. De tijd die hem nog rest wil hij graag doorbrengen met haar, hun moeder en hun oma in hun grootmoeders huis aan de Ierse kust. Hoewel de drie vrouwen eigenlijk niet goed met elkaar kunnen opschieten, zijn ze bereid Declan bij te staan. Declans aanwezigheid in huis zorgt voor een ommekeer: de verhoudingen tussen de drie vrouwen bloeien op.

De Meester

Londen, januari 1895: Henry James is in afwachting van de première van zijn eerste toneelstuk in Londen. Hij heeft zich nog nooit zo kwetsbaar gevoeld en – in tegenstelling tot zijn tijdgenoot Oscar Wilde – zo ongeschikt voor publieke belangstelling. Als het stuk uitloopt op een fiasco trekt hij zich weer terug achter zijn schrijftafel. In grote eenzaamheid werkt hij aan een serie meesterwerken, waarvoor hij echter grote persoonlijke offers moet brengen.